© 1996 Éditions Massin
16-18 rue de l'Amiral Mouchez, 75014 Paris. Tél : 01 45 65 48 48.
Tous droits de reproduction, d'adaptation et de traduction réservés
pour tous pays.
ISBN : 2-7072-0298-3

Pages de garde de tête
Papier peint, vers 1860.
Manufacture Desfossé.
Impression à la planche.
Musée des Arts décoratifs, Paris.

Achevé d'imprimer en août 1996
par Aubin Imprimeur à Ligugé, Poitiers
N° d'impression : P 52228
Dépôt légal : août 1996
Imprimé en France

LE MOBILIER FRANÇAIS

NAPOLÉON III
ANNÉES 1880

ODILE NOUVEL-KAMMERER

ÉDITIONS MASSIN

L'auteur remercie
pour l'aide amicale qu'ils lui ont apportée :

• au château de Compiègne :
- Monsieur Jean-Marie Moulin, conservateur général, chargé du château.
- Madame Françoise Maison, conservateur général.

• au château de Fontainebleau :
- Monsieur Amaury Lefébure, conservateur général chargé du château.
- Monsieur Yves Carlier, conservateur.

• au musée des Arts décoratifs de Lyon :
- Monsieur Blazy, conservateur en chef
- Madame Gaudry.

• au musée d'Orsay :
- Monsieur Marc Bascou, conservateur en chef.

• au musée de la Céramique de Sèvres :
- Madame Antoinette Hallé, conservateur général, chargée du musée.

• à la Bibliothèque des Arts décoratifs :
- Madame Geneviève Bonté, conservateur général.

• au musée des Arts décoratifs :
- Monsieur Pierre Arizzoli-Clémentel,
  conservateur général, chargé des musées de l'U.A.D.
- Madame Véronique de Bruignac,
  conservateur du département des papiers peints.
- Madame Marie-Noël de Gary, conservateur en chef du cabinet des dessins.
- Madame Béatrice Quette, responsable du service culturel.
- Madame Sylvie Bourrat, régie des œuvres.
- Messieurs Pierre Costerg et Nicolas Boucher, ébénistes restaurateurs.
- Madame Yvonne Brunhammer.
- Madame Caroline Wiegandt.

DIRECTRICE DE COLLECTION
Claude-Paule Wiegandt.

CRÉDITS PHOTOGRAPHIQUES
Les photos sont de Laurent Sully Jaulmes, sauf :
• Réunion des Musées nationaux : pages 8 (haut et bas, Arnaudet),
  28 (M.Beck-Coppola), 31 (gauche, Hutin) (droite, G. Blot et H. Lewandowski),
  32-33 (Lewandowski), 36 (Arnaudet), 39 (Arnaudet), 47 (Arnaudet),
  52 (Caroline Rose), 75, 81 (Jean Schormans), 82-83.
• Mobilier national : page 46.
• Musée des Arts décoratifs, Lyon : pages 67, 78, 79.
• Musée de l'École de Nancy, Nancy : pages 70, 91, 92.

CONCEPTION GRAPHIQUE ET MAQUETTE
Didier Chapelot.

Sommaire

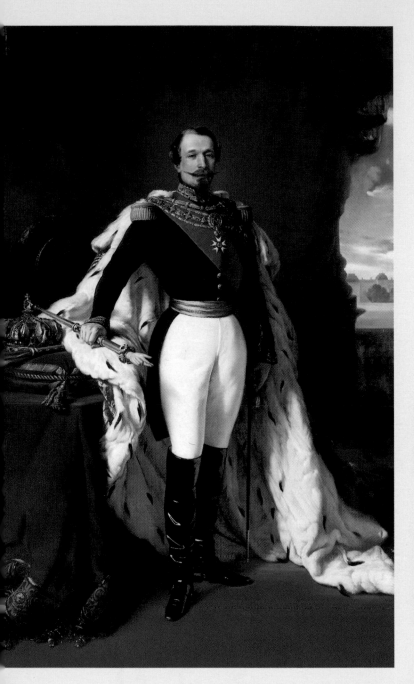

**Grand portrait officiel en pied
de l'Empereur Napoléon III**, 1855.
Copie de l'atelier de François-Xavier
Winterhalter (1805-1873)
Musée national des châteaux de Versailles et de Trianon.

**Grand portrait officiel en pied
de l'Impératrice Eugénie**, 1855.
Copie de l'atelier de François-Xavier
Winterhalter (1805-1873).
*Musée national des châteaux de Versailles
et de Trianon.*

HISTOIRE
&
SOCIÉTÉ

A LA SUITE DE LA RÉVOLUTION DE 1848, la monarchie est remplacée par la Deuxième République. Louis-Napoléon Bonaparte, neveu de Napoléon Ier, devient Prince-Président. En un demi-siècle, les Français ont traversé des expériences politiques majeures : trois révolutions, les fastes d'un Empire conquérant, puis le retour à la royauté qui se solde par l'échec de 1848. La France a besoin de stabilité.

En 1852, la proclamation de l'Empire ouvre une période de grande prospérité. Le couple impérial organise une vie de cour luxueuse, à l'image du rôle prépondérant qu'entend jouer l'Empereur dans le monde ; les réceptions éblouissantes et les fameuses "séries" de Compiègne réunissent chaque année l'élite française et étrangère.

L'Empereur décide de faire de Paris une capitale moderne : en 1852, il charge le baron Haussmann, préfet de Paris, de tracer un nouvel urbanisme. La grande bourgeoisie d'affaires, séduite par le libéralisme économique, mène l'autre "révolution", dite indus-

Travailleuse, vers 1850.
Manufacture Jennens and Bettridge,
Londres. Bois noirci et incrustations de
nacre. L'appellation "table à ouvrage" ou
"travailleuse" apparaît sous le Second
Empire, mais le meuble existe depuis le
XVIIIe siècle et sert à ranger les objets
nécessaires aux travaux de couture. Le
globe de ce rare modèle illustre la
sensibilité de l'époque aux phénomènes
mondiaux tels que les Expositions
universelles, les dictionnaires
encyclopédiques. C'est le monde entier
qui pénètre à l'intérieur de la demeure.
Musée des Arts décoratifs, Paris.

trielle et dote le pays d'une puissance de production efficace, capable de rivaliser avec l'Angleterre (qui avait fait sa première révolution industrielle un siècle plus tôt). Les grands magasins parisiens, nouveaux temples du commerce, offrent à leur clientèle aisée un choix étourdissant de produits. Les chemins de fer commencent à quadriller la France.

La population ouvrière, attirée par le mirage des grandes villes, vit dans la misère. La pensée socialiste développe des idéaux nouveaux et élabore le concept de "classe". Le régime impérial qui craint les mouvements anarchistes ou socialistes fait régner l'ordre en interdisant les principales libertés politiques.

La mondialisation des phénomènes, renforcée par les Expositions universelles, est perçue comme un défi de civilisation. La France y occupe une place prépondérante.

Dans le domaine des lettres et des arts, un extraordinaire foisonnement d'initiatives voit le jour : l'impressionnisme, la photographie, l'opéra, les grands dictionnaires encyclopédiques, les livres pour enfants, la littérature visionnaire ou nostalgique.

En 1870, l'horrible défaite française face aux Prussiens met un terme brutal à la dynamique créée par le Second Empire. La Troisième République qui lui succède doit d'abord faire face à une ultime révolution : la Commune, écrasée dans le sang en 1871. L'heure est à la reconstruction de la France, et les différents chefs de gouvernements affichent l'austérité. L'absence de cour n'empêche cependant pas la grande bourgeoisie de poursuivre son mode de vie luxueux. Les comédiennes et les demi-mondaines, impératrices du moment, brillent dans les grandes fêtes.

Les débats politiques, dont celui de l'enseignement sont passionnés ; l'école devient obligatoire pour tous en 1882. Dans cette atmosphère fin de siècle, la société française est animée par un étonnant bouillonnement culturel.

En 1889, l'Exposition universelle, qui se tient à Paris, attire le monde entier et manifeste avec éclat le rôle pilote qu'entend jouer la France.

CHRONOLOGIE

ÉVÉNEMENTS POLITIQUES ET SCIENTIFIQUES

1848 Révolution : abdication de Louis-Philippe. Louis-Napoléon Bonaparte devient Prince-Président.

1851 2 décembre : coup d'État de Louis-Napoléon Bonaparte plébiscité pour dix ans.
Première machine à coudre Singer (USA).
Le travail des enfants est autorisé à partir de dix ans et limité à dix heures par jour.

1852 2 décembre : Louis-Napoléon Bonaparte devient Empereur des Français.

1853 Mariage de Napoléon III et d'Eugénie de Montijo.

1854 Début de la guerre de Crimée : la France et l'Angleterre soutiennent l'Empire ottoman contre la Russie.

1857 Prise de Canton par les Anglais et les Français.

1859 1859-1869 : percement du canal de Suez par Ferdinand de Lesseps.

1860 Sac du Palais d'été à Pékin, dans le cadre de la guerre des Français et des Anglais contre la Chine. Les trésors qui sont rapportés à Paris formeront la collection du musée chinois de l'Impératrice Eugénie à Fontainebleau aménagé en 1861.

1861 Victor-Emmanuel II, roi de Sardaigne, devient le premier roi de l'Italie unifiée.

1861-1865 Guerre de Sécession aux États-Unis d'Amérique.

1864 L'Internationale socialiste est créée en Angleterre.

1867 Karl Marx publie *Le Capital*.

1868 L'empereur du Japon inaugure l'ère Meiji et ouvre son pays sur l'étranger.
Ernst Haeckel publie *L'histoire naturelle de la création* où il jette les fondements de l'écologie comme discipline scientifique.

1870 La France perd la guerre contre la Prusse.
Chute de l'Empire français. Proclamation de la Troisième République.
Naissance de l'Empire allemand.

1871 La Commune à Paris est écrasée dans le sang.
Zénobe Gramme met au point la dynamo.

1872 Le maréchal de Mac-Mahon est nommé chef du gouvernement.

1876 Alexandre Graham Bell invente le téléphone.

1879 Création du parti socialiste ouvrier par Jules Guesde.

1882 L'enseignement primaire est obligatoire en France de six à treize ans.

1883 Création de la ligne Orient-Express reliant Paris à Constantinople.

ÉVÉNEMENTS CULTURELS

1851 Exposition universelle de Londres.
Début du *Journal* des Goncourt.

1852 *Au Bon Marché* : premier grand magasin parisien.

1853-1870 Paris : travaux d'Haussmann.

1854 Série de portraits en photographie de Nadar.

1855 Courbet expose l'*Atelier du peintre*.

1856 Flaubert publie *Madame Bovary*.

1857 Publication des *Fleurs du mal* de Baudelaire.

1858 La comtesse de Ségur publie *Les Petites Filles modèles*.
Offenbach fait représenter *Orphée aux enfers*.

1860 Labiche fait jouer *Le Voyage de Monsieur Perrichon*.

1861-1875 Charles Garnier construit l'Opéra.

1862 Exposition universelle de Londres.
Victor Hugo publie *Les Misérables*.
Jules Verne publie *Cinq semaines en ballon*.

1863 1er Salon des refusés. Manet : *Le Déjeuner sur l'herbe*.
Découverte de la Victoire de Samothrace.

1863-1872 Littré : *Dictionnaire de la langue française*.

1864 Larousse : *Grand Dictionnaire universel du XIXe siècle*.

1865 Wagner compose *Tristan et Isolde*.

1867 Exposition universelle de Paris.

1869 Hippolite Taine publie son cours *Philosophie de l'art*.
Gustave Moreau présente *Œdipe et le Sphinx*.
Carpeaux sculpte *La Danse* pour la façade de l'Opéra.

1870 Schliemann découvre le site présumé de Troie.
Le Concile Vatican I déclare l'infaillibilité pontificale.

1871 Emile Zola commence à écrire *Les Rougon-Macquart*.
Première représentation d'*Aïda* de Verdi au Caire.

1873 Rimbaud écrit *Les Illuminations*.

1875 Inauguration de l'Opéra de Paris de Garnier.

1876 Basilique du Sacré-Cœur de Montmartre.

1877 Monet peint *La Gare Saint Lazare*.
Publication du *Tour de France par deux enfants*.

1878 Exposition universelle de Paris.

1879-1882 Cézanne peint *Compotiers, verre et pommes*.

1882 Création du musée des Arts décoratifs de Paris.
Création du musée Grévin.
Création à Bayreuth de *Parsifal* de Richard Wagner.

1885 Funérailles nationales de Victor Hugo.
Nietzsche termine *Ainsi parlait Zarathoustra*.

1886 À New York : *Statue de la Liberté* par Bartholdi.
Dernière exposition des impressionnistes.

1888 Rodin sculpte *Les Bourgeois de Calais*.

1889 Exposition universelle de Paris, Tour Eiffel.
Bergson publie *Essai sur les données immédiates de la conscience*.
Christofle publie *La Famille Fenouillard*.

Chimère ailée, détail *(page 65).*

Architecture et cadre de vie

Les grands travaux du baron Haussmann à Paris entraînent une rénovation importante du cadre de vie parisien et donnent l'occasion aux architectes et aux fabricants de créer de nombreux ameublements complets. On sort de la période où dominait ce fameux "bric-à-brac" caractéristique du règne de Louis-Philippe. Désormais, on fait du neuf dans un grand mouvement de construction qui dynamise les milieux les plus fortunés, et la perfection devient la notion clé de la production de l'époque.

Deux types d'habitat urbain existent alors dans les milieux bourgeois : l'hôtel particulier pour les grandes fortunes, aux proportions parfois gigantesques (à Paris l'hôtel de la marquise de Païva, ceux du comte Salomon de Rothschild, des banquiers Hottinger ou Péreire, ou plus tard celui du comte Potocki), et l'immeuble à loyer, dont les appartements peuvent atteindre des surfaces importantes suivant le niveau social de leurs habitants.

Dans une demeure de qualité, l'architecte est l'acteur principal de l'ensemble des opérations : il conçoit aussi bien la construction du bâtiment que l'aménagement intérieur. Il se livre volontiers à un habile jeu de contrastes : l'aspect sévère des façades extérieures régies par une rigoureuse symétrie masque le confort douillet qui règne souvent à l'intérieur.

Dans la distribution de l'habitat, les pièces de réception sont nettement séparées de la partie privée. Dans *Histoire d'une maison* (1873) de Viollet-le-Duc, les pièces de réception situées au rez-de-chaussée, qui ne sont pas disposées en enfilade, répondent chacune à une fonction précise : le cabinet de travail de Monsieur, le billard, le salon et la salle à manger à proximité de la cuisine, les pièces de service s'étendant à

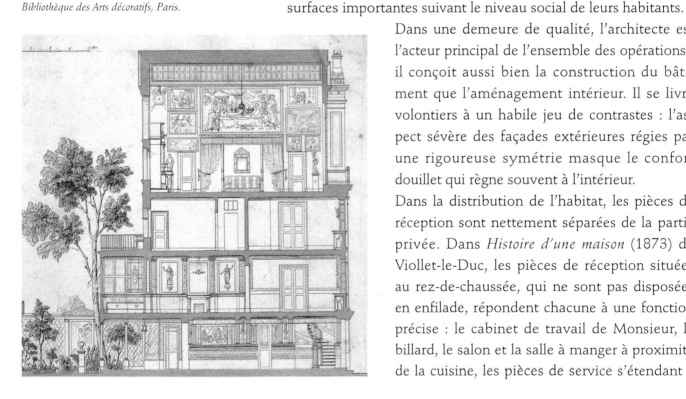

Hôtel d'un peintre, cité Malesherbes à Paris. Coupe longitudinale.
A. Jal, architecte, et Jollivet, peintre, vers 1858. Planche gravée, tirée de *La Revue Générale d'Architecture et des travaux publics*, XIXᵉ année, volume XVI.
Bibliothèque des Arts décoratifs, Paris.

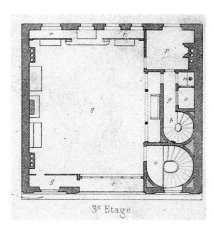

3ᵉ Etage.

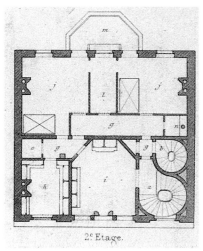

2ᵉ Etage.

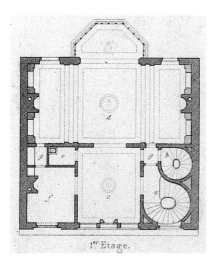

1ᵉʳ Etage.

**Hôtel d'un peintre,
cité Malesherbes à Paris.**

A. Jal, architecte, et Jollivet, peintre, vers
1858. Planche gravée, tirée de *La Revue
Générale d'Architecture et des travaux publics,*
XIXᵉ année, volume XVI.
Bibliothèque des Arts décoratifs, Paris.

Ci-contre, la façade peinte.

13

Salon de la princesse Mathilde,
1859. Charles Giraud (1819-1892).
La princesse Mathilde, cousine de
l'Empereur, recevait la brillante
société du Second Empire dans son
hôtel parisien du 24, rue de
Courcelles. Les rideaux vert et
rouge sont harmonisés au tapis et
créent une ambiance chaleureuse,
éclaircie par les tonalités pâles des
murs et de la cheminée de style
Louis XVI. La princesse est assise
dans son canapé en bois doré de
style Louis XV ; un fauteuil et une
chaise font partie du même
ensemble. On reconnaît également
un fauteuil confortable garni de
passementerie à franges et muni
de roulettes, placé face à la
princesse. On aperçoit une chaise
légère en bois doré derrière le
piano. Les lampes sont disposées
tout autour de la pièce ; celle qui
se trouve sur la table ronde est un
vase de Chine monté en bronze.
Musée national du château de Compiègne.

l'arrière. Souvent une serre, placée à proximité du salon, répond au plaisir de faire pénétrer la nature au cœur de la demeure. Au premier étage : l'appartement de Monsieur, distinct de celui de Madame, bénéficie de la plus belle orientation ; chacune des chambres dispose de son cabinet de toilette. Le boudoir, traditionnellement situé à côté de la chambre de Madame, a tendance à disparaître, cependant que les espaces nobles sont réservés au maître de maison qui reçoit chez lui pour traiter ses affaires.

Enfin au second étage, les chambres des domestiques se distinguent de celles des maîtres de maison en ce qu'elles sont petites, mansardées et n'ont pas de cheminée.

L'architecte coordonne l'ensemble de l'aménagement intérieur : le décor mural, y compris les éventuels vitraux, les carrelages, le dessin des meubles, les tissus d'ameublement pour rideaux et garnitures de sièges, jusqu'à l'orfèvrerie et les services de table.

Si différents styles se côtoient dans une même demeure, ils ne s'y mélangent pas au hasard ; l'architecte a pour mission de leur donner une unité que le public trouve difficilement, tant la multiplicité des tendances à la mode rend difficile toute recherche d'harmonie.

Le tapissier intervient pour une part essentielle dans le résultat final. Il offre un choix infini de modèles de rideaux et de tentures, de garnitures de lits et de sièges, assemblés selon des techniques de plus en plus sophistiquées. Il contribue à modifier l'ensemble du décor. Le papier peint est fréquemment utilisé ainsi que les tapis moquettes.

Le mobilier reste l'élément le plus significatif et le plus valorisant de ces ensembles complexes.

Maison à loyer, vers 1850
Paul Mesnard, architecte. L'immeuble de rapport est la solution la plus adaptée au problème de place qui commence à se poser à Paris. Dans chaque appartement, les pièces sont distribuées selon les mêmes principes que dans les hôtels particuliers : pièces de réception donnant généralement sur la rue et séparées des pièces privées situées sur la cour. *Bibliothèque des Arts décoratifs, Paris.*

MAISON À LOYER

Première Classe __ Nº3.Rue de la Paix __ Elévation

PAR Mᴿ PAUL MESNARD , ARCHᵀᴱ

Echelle de 0.01 ᶜᵉⁿᵗ pour mètre

10 Mètres

FOND DE SALON LOUIS XIV, 1ère Epoque.

Fonds de salon Louis XIV, 1ère époque, vers 1860.
Victor Quétin, *Le Magasin de meubles, Album de tentures n° 9,* Paris, s.d., planche. n° 11
Bibliothèque des Arts décoratifs, Paris.

ALCOVE AVEC CABINETS, LOUIS XVI._Boiserie décorée.

Alcôve avec cabinets, vers 1860.
Victor Quétin, *Le Magasin de meubles, Album de tentures n° 9*, Paris s.d., planche n° 45.
Les maisons d'ébénisterie présentent des ameublements complets comprenant non seulement le mobilier proprement dit, mais aussi les rideaux, tentures et miroirs ainsi que les moulures, corniches et lambris des murs. Elles proposent une gamme importante de modèles à des prix variables, réunis dans des catalogues en chromolithographie qui permettent à la clientèle de faire ses choix.
Bibliothèque des Arts décoratifs, Paris.

Le métier

Le faubourg Saint-Antoine

Le faubourg Saint-Antoine, à Paris, qui regroupe depuis plusieurs siècles l'essentiel des activités de production et de commercialisation d'ameublement, est connu dans le monde entier pour la qualité de ses fabrications. La mécanisation, introduite au début du siècle, s'intensifie.

A partir des années 1850, la rapidité d'exécution et avec elle la division du travail sont considérées comme un progrès pour tous : *c'est (…) la grande règle de l'industrie moderne de faire faire à la machine tout ce qu'elle exécute plus rapidement, plus économiquement et de réserver à la main et à l'intelligence de l'homme toute l'action nécessaire pour que le produit conserve toujours ce cachet artistique que perdent les objets fabriqués purement et simplement à la machine. Le bon emploi alternatif de la force motrice, de la main de l'ouvrier et du goût de l'artiste a été la véritable cause du succès de la maison Damon.* (Cité par Turgan, p. 10.)

Le problème du Faubourg à cette époque est de maintenir son rang face à la concurrence étrangère, notamment anglaise. Le principal enjeu pour les fabricants est de répondre à la diversité des demandes d'une clientèle exigeante et nombreuse. Celle-ci a le choix entre le meuble de luxe, rare et cher, fabriqué selon les méthodes traditionnelles, et la production de série prévue pour le grand nombre.

De puissantes maisons d'ameublement se développent avec succès, dirigées par de véritables chefs d'entreprises ; ils emploient jusqu'à 600 ouvriers qui travaillent dans de nombreux ateliers spécialisés, et doivent gérer la complexe coordination des tâches successives avec un maximum d'efficacité. Ils distribuent des salaires relativement élevés : les menuisiers y gagnent de 5 à 12 francs par jour, les tapissiers entre 5 et 10 francs et les sculpteurs jusqu'à 20 francs. Les ouvriers travaillent, selon les cas, soit à la manufacture, soit chez eux.

Par ailleurs, il subsiste une multitude de petits ateliers indépendants et très spécialisés qui contribuent plus modestement à la production du Faubourg ; ils exécutent la plupart du temps des travaux auxiliaires commandés par les grandes maisons.

Le Faubourg emploie près de 28000 personnes en 1883, dont une part non négligeable de femmes dans les ateliers de tapissiers. Il faut noter qu'après la guerre de 1870 la présence des artisans allemands, traditionnelle depuis le XVIIIe siècle, disparaît.

Matériaux

Le bois reste le matériau le plus utilisé. Il est acheté chez des grossistes qui le stockent pendant quatre ou cinq ans dans les entrepôts situés en province ou à l'étranger, notamment pour les bois exotiques provenant des colonies (Guyane et Afrique du Nord principalement).

Les essences indigènes (chêne, poirier, noyer, hêtre, orme, tilleul, etc.) servent généralement à la construction de l'intérieur des meubles, tandis que les essences exotiques (acajou, palissandre, amarante, ébène, etc.) sont débitées en bois de placage pour l'extérieur.

Pour la teinture des bois, les méthodes traditionnelles restent les plus utilisées : soit à chaud dans la masse, soit à froid en surface.

Les teintures peuvent être utilisées pour imiter les bois exotiques et obtenir des effets de luxe à moindre prix. Le procédé le plus couramment utilisé consiste à teindre en noir le poirier

ÉTABLISSEMENTS KRIEGER-DAMON ET Cⁱᵉ (Entrée principale).

Etablissements Krieger et Damon,
Paris, s.d. (1884).
Vue générale des bâtiments.
Bibliothèque des Arts décoratifs, Paris.

Meuble d'appui,
vers 1850-1855.
Bois noirci, nacre, dorure
Détail d'incrustation de
différentes nacres choisies en
fonction de leurs reflets.
Musée des Arts décoratifs, Paris.

sauvage, particulièrement dur, d'un grain serré et peu attaqué par les vers, pour le rendre semblable à l'ébène. C'est grâce à ce procédé que s'est répandue la grande mode des meubles en bois noirci, enrichis de bronzes dorés ou de marbre, dont l'allure éclatante a fait fureur.

La grande nouveauté de la seconde moitié du XIXe siècle est l'usage de plus en plus fréquent et diversifié du métal. Les meubles en fonte, notamment des sièges, apparaissent dès les années 1840. Sans doute la mode du fer a-t-elle connu un engouement fulgurant dans l'architecture depuis que John Paxton a construit le Crystal Palace à Londres pour l'Exposition universelle de 1851. Mais son usage dans le mobilier tient aussi à d'autres raisons : le fer ou la fonte se prêtent aisément à la fabrication en série ; ils ne nécessitent que d'être peints après avoir été moulés ; leur solidité est garantie. C'est le cas des fameux lits en fer qui se sont répandus dans tous les milieux à la fin du siècle.

Au fer et à la fonte, d'usage courant, s'est ajouté le bronze, d'aspect plus luxueux. Jusque-là, seules les appliques rapportées sur des meubles d'ébénisterie de prix étaient exécutées en bronze. A la faveur de la découverte des arts décoratifs d'Extrême-Orient, et de l'usage qui y est fait des arts du métal, on s'intéresse à ce matériau ; un meuble en bronze permet d'allier de grandes dimensions à une ciselure et des incrustations délicates ; et sa brillance évoque le luxe.

Comme par le passé, diverses techniques participent à l'enrichissement d'un mobilier de qualité. Parmi elles, les travaux d'incrustations connaissent un essor particulièrement important grâce à l'usage de la scie à rubans qui permet de débiter les matériaux les plus divers avec une extrême finesse : l'ivoire, l'os, l'écaille rouge, mais aussi le cuivre ou l'acier, les pierres dures, la céramique, ou encore les délicats émaux champlevés ou peints... L'extrême précision dans le travail d'ajustage, de collage, puis de ponçage témoigne de la parfaite maîtrise dont font preuve les artisans du XIXe siècle.

Meuble d'appui, vers
1865-1870. Détail.
Palissandre, marqueterie
de bois divers.
Collection particulière.

Table d'inspiration Renaissance,
vers 1860. Détail. François Gautier.
Ebène, ivoire, bronze patiné.
La marqueterie d'ébène à motifs de
chevrons est incrustée de
grotesques en ivoire ; celui-ci a été
préalablement traité comme une
gravure : de fines rayures font
ressortir les ombres. L'extrême
finesse des entrelacs a rendu le
travail d'incrustation
particulièrement délicat.
Musée des Arts décoratifs, Paris.

L'une des nouveautés dans ce domaine a été le brevet déposé
par la maison Rivart, qui a réalisé de superbes motifs de fleurs
en marqueterie de porcelaine, incrustés dans le placage du
meuble. Là encore, tout l'art réside dans la précision.

Pour les meubles plus ordinaires, on emploie des matériaux
naturels comme le bambou, le rotin et la paille de manille, ou
encore la tôle peinte ou le papier mâché.

Établissements Krieger-Damon et Cⁱᵉ (Une salle de tapissiers).

Établissements Krieger et Damon,
Paris, s.d. (1884). Une salle des tapissiers.
A gauche, les hommes font des essais de
tentures fixées à des barres à poulies qui
permettent de les monter ou de les
descendre à volonté. A droite, les femmes,
toujours nombreuses dans les ateliers de
tapisserie, sont installées autour d'une
longue table pour coudre de grands drapés.
Bibliothèque des Arts décoratifs, Paris

Les techniques de fabrication

Désormais toute maison d'ébénisterie possède son propre atelier de dessins qui est le lieu de création par excellence de la fabrique, d'où sortent tous les modèles, des plus courants aux plus exceptionnels, y compris les commandes spéciales. Une équipe de "dessinateurs industriels", connaissant parfaitement les contraintes techniques de l'ébénisterie, y travaille en permanence. Ils disposent d'une importante documentation sur l'histoire du mobilier dans laquelle ils trouvent leur source d'inspiration. Les collections de modèles courants de meubles qu'ils ont mis au point sont réunies dans de gros catalogues destinés à la clientèle habituelle.

Lorsqu'un architecte est chargé par un client de réaliser l'ameublement d'une demeure, il vient soumettre ses projets aux dessinateurs de l'ébénisterie qui en font les esquisses préparatoires. Pour tout meuble, qu'il soit courant ou exceptionnel, les dessinateurs réalisent une esquisse préparatoire qui sert de base aux critiques. Une fois qu'un accord a été trouvé, les dessinateurs dressent les plans précis du meuble, en grandeur réelle, et les remettent aux menuisiers, aux ébénistes et aux sculpteurs.

Les menuisiers, chargés de la construction du meuble, s'adressent au "débiteur" qui gère le stock de bois de la manufacture et fournit les morceaux de bois grossièrement taillés, nécessaires à la fabrication du meuble. Les menuisiers détaillent les morceaux de bois d'après le plan. L'usage des scies mécaniques d'une grande précision permet d'importantes économies de chutes de bois. Les assemblages sont réalisés selon les méthodes traditionnelles, seules les parties sculptées ne sont pas montées.

Lorsque la commande l'exige, les menuisiers teignent le bois, notamment le poirier sauvage en noir. Sinon un atelier spécial se charge des enduits et des peintures. Lorsqu'il s'agit de peindre des motifs, la plupart du temps des bouquets de fleurs, sur les panneaux d'un meuble, les peintres utilisent des pochoirs réalisés d'après les modèles fournis par les dessinateurs.

La dorure, remise à la mode par l'engouement pour les meubles du XVIIIe siècle, est réalisée à l'ancienne dans un atelier spécial.

Lorsque le meuble nécessite une finition en marqueterie ou en placage, il est envoyé dans l'atelier d'ébénisterie. Grâce à l'usage de la machine, le travail y a beaucoup évolué (cf. *supra*). Les ébénistes travaillent en étroite relation avec l'atelier de fonderie chargé de réaliser les bronzes d'ameublement. Les garnitures des sièges et des lits sont exécutées dans l'atelier de tapisserie qui emploie beaucoup de femmes. Deux nouveautés modifient le travail de cet atelier : l'usage désormais général du capiton et des ressorts. Pour répondre aux exigences de confort, on cherche à donner aux sièges et aux lits une souplesse plus grande ; pour cela, les tapissiers fabriquent un sommier non plus constitué de sangles croisées, comme cela se pratiquait depuis le XVIe siècle, mais de petits ressorts en fer régulièrement répartis sur l'ensemble de la surface du sommier et maintenus par un réseau de tiges métalliques. Une toile de coton ou de lin recouvre cette sorte d'arma-

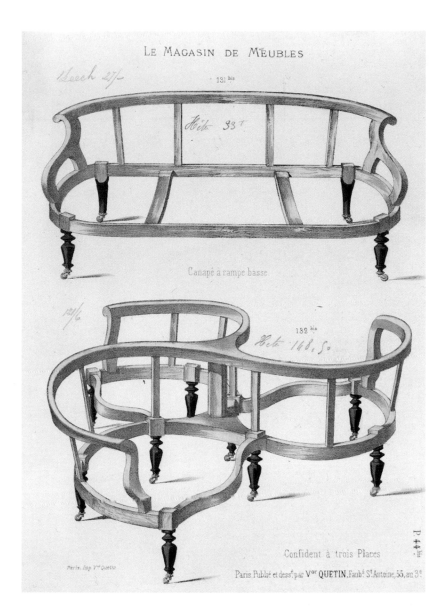

Bois d'un canapé à trois places et d'un confident à trois places généralement nommé "indiscret".
Chromolithographie, vers 1860. Victor Quétin, *Le Magasin de meubles n° 6, Album complet de sièges*. Paris, s.d. Les catalogues de vente offrent une multiplicité de modèles différents. Les menuisiers exécutent le châssis du siège d'après les modèles fournis par les dessinateurs, les tapissiers le garnissent ensuite de tissu selon la commande du client. La plupart des sièges sont équipés de roulettes pour faciliter leur déplacement.
Bibliothèque des Arts décoratifs, Paris.

Table de style Boulle,
vers 1855. Détail.
Les meubles "Boulle" ont séduit
dès les années 1840. Ici l'écaille
et le bronze, dont les contours
sont soulignés d'un filet
rapidement gravé à la main,
sont incrustés avec la même
technique qu'au XVIIᵉ siècle.
*Musée national du château
de Compiègne.*

Table de salon. Détail de la marqueterie
de porcelaine. Vers 1861.
Julien-Nicolas Rivart.
La maison Rivart s'est spécialisée dans la
marqueterie de porcelaine : *Une fois le dessin
qu'on se propose de représenter bien arrêté, M.
Rivart en fait le calibre en bois et l'exécute en
porcelaine ; les pâtes sont ensuite replanies et
dressées sur la face avec une précision bien
exacte ; puis, les défauts de découpage corrigés à
la meule, elles passent à l'émail, et les
porcelaines, une fois peintes et terminées, sont
incrustées dans le bois ou le marbre.*
Musée national de Céramique, Sèvres.

Table de toilette, 1867. Détail.
Maison Christofle, dessin d'Emile-Auguste Reiber, sculptures
d'Albert Ernest Carrier-Belleuse et Gustave-Joseph Chéret. Célèbre
pour son orfèvrerie, la maison Christofle s'est lancée dans la
fabrication de meubles de luxe. Le plateau de cette table est un jeu
minutieux d'incrustations, parfaitement ajustées, de bronze doré deux
tons (quart de rond de l'angle), jaspe rouge du Mont-Blanc, lapis-
lazuli de Perse, argent et vermeil (fleurs). *Musée des Arts décoratifs, Paris.*

ture, et le matelas est ensuite simplement posé dessus. Le capiton,
déjà utilisé au XVIIIᵉ siècle mais abandonné depuis, est un rembourrage de crin, maintenu par un tissu de velours, une soierie
ou un chintz, dont les piqûres ont généralement une forme de
losange. Principalement utilisé pour les sièges, on le rencontre
aussi sur les têtes de lits. C'est lui qui donne cette allure
douillette, caractéristique des ameublements du Second Empire.
Les meubles les plus riches comportent des parties sculptées ;
celles-ci sont exécutées dans un atelier de sculpteurs intégré
dans toute grande manufacture. Spécialisés dans la sculpture
d'ameublement, ils sont considérés comme la véritable élite de
la fabrique. Ils réalisent d'abord des modèles en plâtre (esquisses
rapides ou modèles grandeur nature), selon les indications four-
nies par les dessinateurs, et procèdent ensuite en plusieurs
temps : d'abord à la manufacture, ils cisèlent les moulures à la
toupie mécanique ou évident les parties creuses à la scie inter-
mittente. Puis à domicile, d'autres sculpteurs achèvent le travail
à la main, à l'aide de gouges et de ciseaux traditionnels. Chacun
a sa spécialité : la figure humaine, les animaux, les ornements
végétaux, etc. selon le principe moderne de la division du tra-

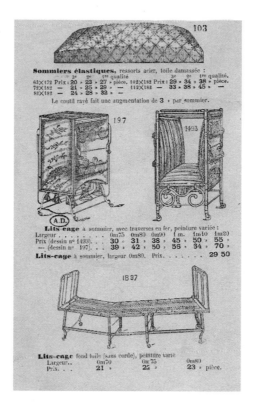

Catalogue illustré de lits en métal, vers 1870. Détail d'une page. Le métal offre plusieurs avantages : fabrication économique, solidité et, dans certains cas, système de charnières permettant de replier le lit. Grande nouveauté de l'époque : les ressorts d'acier, disposés sur toute la surface du sommier, qui assurent un confort incomparable. *Bibliothèque des Arts décoratifs. Paris.*

vail. La sculpture est d'autant plus fine qu'elle ne sera pas peinte (la peinture ayant pour effet d'empâter les reliefs). Lorsqu'il s'agit de meubles de luxe, les sculptures sont réalisées dans la masse du panneau ou du montant qu'elles ornent, contrairement aux productions à bon marché où les pièces sculptées sont travaillées séparément puis collées au meuble.

La signature

La présence ou l'absence de signature n'est pas un hasard. Lorsqu'il s'agit d'un meuble présenté à une Exposition universelle, le fabricant signe et mentionne la date et les artistes qui se sont associés dans la réalisation de ce qui est alors considéré comme une œuvre d'art. Lorsque, au contraire, le meuble est plus ordinaire, il n'est pas signé. Les signatures sont généralement réalisées à l'aide de tampons apposés discrètement sur l'une des faces invisibles du meuble. Mais il peut aussi y avoir de fines ciselures pratiquées sur la serrure.

Perfection et précision sont les maîtres mots qui guident les fabricants de mobilier dans cette seconde moitié du XIXe siècle.

Table de toilette, 1867. Détail. Maison Christofle, dessin d'Emile-Auguste Reiber, sculptures d'Albert-Ernest Carrier-Belleuse et Gustave-Joseph Chéret. La signature d'un meuble se trouve souvent au dos de celui-ci, sous forme d'estampille appliquée sur le bois, ou gravée sur la tranche de la serrure, comme c'est le cas ici. Elle mentionne les deux dirigeants de la maison Christofle et les trois principaux artistes qui ont collaboré à son exécution. *Musée des Arts décoratifs, Paris.*

LE MOBILIER
NAPOLÉON III

PARLER D'UN STYLE NAPOLÉON III pourrait paraître une gageure, tant la diversité des goûts a explosé dans des directions apparemment contradictoires, oscillant en permanence entre la rigueur classique et les fantaisies rococo généralement jugées de mauvais goût !

Les Expositions universelles

Depuis le début du XIXe siècle, les fabricants français ont eu l'habitude de participer régulièrement aux Expositions des Produits de l'Industrie organisées par les régimes successifs. La dernière de ces expositions s'était tenue en 1849 au lendemain de la révolution. Deux ans plus tard, la même idée prend une envergure internationale avec l'ouverture à Londres de la première Exposition universelle. C'est le coup d'envoi d'une nouvelle forme de concurrence mondiale très stimulante. Chaque pays nomme des jurys professionnels chargés d'attribuer des prix évidemment très recherchés et de rédiger un rapport officiel qui reste une source précieuse de renseignements sur l'évolution d'une profession. Les enjeux des Expositions sont à la fois économiques, politiques et culturels.

Niche de la petite salle à manger des appartements du ministre d'Etat au Louvre, 1860-1861. Peinture d'Adolphe Forestier, C. Héron. La peinture en trompe-l'œil de la niche ouvre une vaste perspective et s'inscrit dans la tradition des grands décors panoramiques. Le dégradé subtil des teintes, l'opposition entre les cariatides de pierre surmontées d'une superbe treille et les arbres diaphanes dans le lointain, la disposition théâtrale de draperies rouges sur lesquelles évoluent un paon et un héron, font de ce décor un parfait moment d'illusion que renforce le contraste voulu des lambris noirs rehaussés d'or. *Musée du Louvre.*

Volière de M. Tahan.

a peu d'éclat et fait penser à la couleur absente.

Volière, Exposition universelle de 1855. Dessin d'E. Cornu, manufacture d'ébénisterie de Tahan. Gravure extraite de Ch. Laboulaye, *Essai sur l'art industriel*, Paris, 1856. Cette volière a été l'une des œuvres les *plus populaires de l'Exposition de 1855*. La végétation luxuriante en bois sculpté envahit les bras, les montants, jusqu'à la coupe à cabochons du sommet. Cette création étonnante s'inscrit dans la mode des serres et des jardins d'hiver. *Bibliothèque des Arts décoratifs, Paris.*

Quatre Expositions universelles se déroulent sous le Second Empire : 1851 à Londres, 1855 à Paris, 1862 à Londres, 1867 à Paris, illustrant la concurrence acharnée que se livrent l'Angleterre et la France. En matière d'ameublement, la France se présente avec l'éclat d'une tradition exceptionnelle, unanimement reconnue. Les grandes maisons françaises d'ébénisterie et d'ameublement voient dans ces manifestations internationales un véritable défi, et se surpassent en proposant des chefs-d'œuvre.

L'un des objectifs des fabricants est de lutter contre la hiérarchie dans les arts qui les reléguait au rang des arts dits "mineurs", par opposition aux beaux-arts ou "arts majeurs" regroupant l'architecture, la peinture et la sculpture. D'où leur volonté de concevoir chaque meuble comme une architecture et de s'adjoindre le concours d'éminents "artistes", tels que des architectes (Pierre Manguin, Emile-Auguste Reiber), des sculpteurs (Albert-Ernest Carrier-Belleuse, Aimé-Jules Dalou, Emile-Louis Picault, Gustave-Joseph Chéret), des peintres (Edouard Detaille), des peintres sur émaux (Bernard-Alfred Meyer), etc. Les résultats sont éblouissants par la sophistication des constructions, la richesse des détails, la perfection technique.

Une dizaine de maisons constituent le peloton de tête pendant cette moitié de siècle : Fourdinois rencontre la célébrité à chacune des expositions avec ses meubles monumentaux ; il est suivi de Barbedienne, Tahan, Grohé, Diehl, Beaufils de Bordeaux, Jeanselme, Mazaroz-Ribaillier, Rivart, Sauvrezy, Fossey, Cremer entre autres. De nombreux autres ébénistes, moins talentueux, participent aussi aux Expositions et contribuent à donner du Faubourg l'image d'une formidable fourmilière d'où sortent les meilleurs meubles.

**Cabinet Renaissance
à deux corps**,
Exposition universelle de 1867.
Fourdinois. Noyer sculpté avec
incrustations de jaspe sanguin et
de lapis-lazuli. Intérieur incrusté
d'ivoire et d'argent. Les ébénistes
du XIXe siècle sont fascinés par
la construction très architecturale
du mobilier Renaissance. Les
cabinets et les meubles à deux
corps sont prétexte à des
superpositions complexes, et la
richesse iconographique des
meubles maniéristes convient au
goût du Second Empire pour les
accumulations encyclopédiques.
Dans la partie inférieure, une
allégorie des arts (panneau
central) est flanquée de deux
sphinges ailées qui supportent le
corps supérieur orné du Jour et
de la Nuit, de Mars et de
Minerve ; au sommet, deux
nymphes tiennent des cornes
d'abondance.
*Musée d'Orsay (dépôt du musée
des Arts décoratifs), Paris.*

Crédence Renaissance, Exposition
universelle de 1867.
Dessin de Thiollet, ébénisterie d'Auguste-
Hyppolite Sauvrezy (1815-1884), émaux de
Claudius Popelin (1825-1892), sculptures de
Louis Sauvageau (1822-1885).
Poirier noirci, bronze argenté, lapis-lazuli,
marbre jaune, émaux peints.
Grand admirateur de l'idéal classique,
Sauvrezy expose principalement des
meubles Renaissance en 1867. Ce chef-
d'œuvre un peu austère a été jugé *de style
Henri II moderne, un peu italien*. Un ensemble
de sculptures et d'émaux rythme
l'architecture rigoureuse du meuble. Dans
la partie supérieure, deux cariatides en
bronze argenté sont flanquées de deux
médaillons en émail peint représentant la
Générosité et la Bienveillance. Dans la
partie inférieure, une naïade est entourée
de deux scènes mythologiques et quatre
médaillons figurent un pélican attrapant un
poisson ; en bas, un monogramme ML reste
mystérieux.
Musée d'Orsay, Paris.

Il nous reste relativement peu d'œuvres présentées aux Expositions universelles. Le couple impérial et l'entourage princier, ainsi que la Reine Victoria, y faisaient régulièrement des acquisitions, réunissant ainsi une part non négligeable des collections de meubles témoins que nous possédons encore.

Ces meubles admirés et primés aux Expositions traduisent avec excellence l'évolution du goût. Celui-ci a évolué dans de multiples directions qu'il est parfois malaisé de démêler et que l'on a globalement nommé l'éclectisme. Mais les jurys dénoncent l'invraisemblable multiplicité des sources d'inspiration et s'inquiètent de ne pas voir naître de tendance novatrice unique. Il est vrai que la concurrence internationale, aiguillonnée par les Expositions universelles, favorise l'affirmation d'une identité nationale, et l'un des objectifs des ébénistes consiste à retrouver la spécificité des styles proprement français.

Médaillier, Expositions universelles de 1867, puis 1873. Dessin de Jean Brandely, ébénisterie de Charles-Guillaume Diehl, sculptures d'Emmanuel Frémiet. Bâti de chêne. Placage de cèdre, noyer, ébène, ivoire. Bronze argenté. Sur la porte du médaillier, Frémiet a sculpté le Triomphe de Mérovée, chef gaulois, vainqueur d'Attila en 451. Au sommet du médaillier, le cercueil de Mérovée devant lequel est posé le trophée d'armes franques orné de médailles. Aux coins supérieurs, deux têtes de bœufs attelées d'un joug ; aux coins inférieurs, deux sabots surmontés de chardons. Au pied du médaillier, deux salamandres. Fruit de la collaboration d'éminents artistes, ce meuble reste original dans sa conception comme dans son iconographie. La minutie des placages et de la marqueterie qui ornent aussi bien l'extérieur que l'intérieur du meuble et ses cinquante tiroirs en font un chef-d'œuvre. Malgré son caractère novateur, il reste isolé dans l'éclectisme ambiant qui s'inspire peu du style "gaulois". *Musée d'Orsay, Paris.*

Ci-contre à gauche, détail.

L'éclectisme

Le terme d'éclectisme provient d'une doctrine philosophique *recommandant d'emprunter aux divers systèmes les thèses les meilleures quand elles sont conciliables* (Petit Robert). Les esprits sont assoiffés de connaissances dans tous les domaines. Dans la même mouvance, les "dessinateurs industriels" éditent un nombre impressionnant de recueils de "grammaire ornementale", contenant la déclinaison systématique de tous les types d'ornements. Dans le domaine des arts décoratifs, l'éclectisme consiste à procéder par "emprunts" à des sources d'inspiration variées.

La tendance à mêler des styles différents sur un même meuble ou dans une même pièce s'était développée sous la Monarchie de Juillet et reflète le plaisir qu'éprouve l'ensemble de la société française à se plonger dans le passé national. Or la question n'est pas aussi simple qu'il pourrait paraître, car la copie pure et simple survient rarement. En réalité, les fabricants jouent avec ce que l'on pourrait appeler un encyclopédisme ornemental et assemblent des éléments décoratifs épars, voire contraires.

Ils procèdent par "citations" stylistiques, mêlant des connaissances variées (historiques et géographiques) et des techniques ou des matériaux multiples.

L'éclectisme se fait dans deux directions principales : d'une part, vers le passé national et ses racines plus lointaines que constitue l'art antique, notamment l'art grec ; cette tendance avait été fortement encouragée par les restaurations de châteaux et d'appartements engagées par Louis-Philippe et pour lesquelles les fabricants de mobilier avaient été beaucoup sollicités ; d'autre part, vers les cultures étrangères : la Chine, depuis l'expédition de 1860 au cours de laquelle l'armée française s'empare du Palais d'été de Pékin et en rapporte des trésors, et le Japon, depuis l'ou-

Catalogue de vente de la maison Merlin, vers 1870.
Musée des Arts décoratifs, Paris.

Armoire à deux corps d'époque Renaissance, deuxième moitié du XVIe siècle. *Musée des Arts décoratifs, Paris.*

Cabinet à deux corps provenant de l'hôtel de la marquise de Païva, 1864-1865. Dessin de Pierre Manguin, architecte, ébénisterie d'Antoine Kneib, sculptures d'Aimé-Jules Dalou, d'Emile-Louis Picault, d'Eugène Delaplanche, émaux de Bernard-Alfred Meyer d'après Emile Levy. Poirier noirci, ébène, bronze doré, lapis-lazuli, jaspe, ivoire. Manguin a conçu l'ameublement de l'ensemble de l'hôtel de la Païva et a fait exécuter tous les meubles sur mesure. S'il respecte ici la structure habituelle d'un cabinet d'époque Renaissance, il introduit néanmoins une esthétique propre au XIXe siècle : fronton à rampants arrondis de part et d'autre de la Victoire, présence de nombreuses statuettes (les bustes des douze Césars, ainsi que Minerve et Mars), mélange de médaillons alternativement rectangulaires ou ovales, l'Air et le Feu, scènes mythologiques. L'ébène, bois des plus précieux, est enrichie de pierres dures et de bronzes dorés. L'architecture est sobre, l'exécution parfaite. *Musée des Arts décoratifs, Paris.*

Fauteuil à la Reine, vers 1770. J.B. Gourdin. *Musée des Arts décoratifs, Paris.*

Fauteuil de style Louis XV pour le château de Saint-Cloud, 1858. Jeanselme, garniture en tapisserie de Beauvais, d'après le modèle de Chabal-Dussurgey. Les pieds avant sont munis de roulettes. Les bois dorés ont été généreusement sculptés et les proportions sont confortables. *Musée national du château de Compiègne.*

verture de l'ère Meiji en 1868 ; enfin vers l'art islamique, à la faveur de la construction des palais ordonnée par le sultan de Constantinople et dont le décor fut confié à des Européens (comme Séchan à Dolmabace) : les Occidentaux y ont trouvé une mine ornementale nouvelle d'un extrême raffinement.

Enfin la nature dans ses expressions les plus foisonnantes continue de séduire et apparaît comme une sorte d'antidote à la fascination pour le passé, une issue possible dans une autre direction ; l'inspiration de la nature prend des formes variées dans le mobilier : stylisée à la façon de petits bouquets très composés d'esprit XVIIIe siècle, plus fantasmatique lorsqu'elle se réfère à l'exotisme, ou d'un réalisme charmant qui fait écho à la mode des serres et des jardins d'hiver.

Dans cette multiplicité de courants, les fabricants sont pris entre des intérêts contradictoires : d'une part, les jugements émis par les personnalités influentes qui, notamment dans les rapports des Expositions universelles, réclament davantage de créativité ; d'autre part, les architectes qui jouent un rôle essentiel dans les commandes ; enfin, les rêves de la clientèle, désireuse de fantaisie et de "bon goût". D'où l'étonnante variété de meubles "de tous styles" exécutés par les meilleurs fabricants et le sentiment de "déjà vu" qu'ils peuvent susciter.

Les fabricants sont habitués à toutes sortes d'exercices : les copies fidèles pour compléter des ensembles (Jeanselme reprenant les fauteuils XVIIIe pour Saint-Cloud) ; les programmes de réaménagement d'appartements anciens dans l'esprit d'une époque précise (le mobilier exécuté par Grohé sur les dessins de Ruprich-Robert pour la Galerie François Ier de Fontainebleau) ; les interprétations libres d'un style ou de plusieurs styles (le serre-bijoux de l'Impératrice par Fossey), etc.

Petite table à écrire de Marie-Antoinette, 1784.
Weisweiler, bronzes de Gouthière.
Musée du Louvre.

Table de toilette, 1867.

Maison Christofle, dessin d'Emile-Auguste Reiber, sculptures d'Albert-Ernest Carrier Belleuse et de Gustave-Joseph Chéret.
La parenté entre ces deux meubles est évidente : ressemblance des proportions, pieds en forme de cariatide,
se prolongeant par une corbeille de fleurs ou de fruits sous le quart de rond des angles.
Mais Reiber introduit des modifications significatives : l'éblouissante technique du plateau (*cf. p.26*),
l'importance accordée à la serrure sculptée, l'asymétrie des pieds (les cariatides ne sont présentes que sur les pieds antérieurs),
le jeu des courbes de l'entretoise et, au centre, la présence d'un putto avec carquois et flèches assis sur un globe.
L'ensemble apparaît plus solide. Curieusement, alors que le noir est à la mode, Reiber préfère le placage d'acajou à l'ébène.
Musée des Arts décoratifs, Paris.

Guéridon, vers 1850.
Bois sculpté et doré, marbre peint. Les larges feuilles tiennent lieu de pied ;
les enroulements de leurs extrémités, les ondulations des bords
et les nervures sont autant d'allusions à la réalité. Les têtes de bouquetins
qui servent de fixation au plateau sont un clin d'œil au XVIIIᵉ.
Musée des Arts décoratifs, Paris.

Secrétaire, Exposition universelle de 1855.
Signé "Alph. Giroux et Cie à Paris". Tilleul sculpté, bronze ciselé et doré. Plaques de porcelaine peintes
par Charles Labbé. Ce meuble exceptionnel commandé par Giroux pour son stand à l'Exposition de
1855, mais probablement exécuté par Tahan, a séduit l'Impératrice qui l'acheta. Quelques années plus
tard, elle en fit don pour une loterie de charité… Ce délire végétal en bois sculpté, qui envahit tout le
meuble et ne laisse d'espace qu'aux six plaques de porcelaine à décor de personnages ou de bouquets
de fleurs, illustre les manifestations baroques qui se développent autour des thèmes de la nature
parallèlement aux tendances historicistes. *Musée national du château de Compiègne.*

La véranda de la princesse Mathilde, vers 1870 ?
Charles Giraud (1819-1892).
Lavis gris et rehauts de gouache.
La mode des jardins d'hiver, qui apparaît dans les années 1840, s'est répandue dans toutes les demeures de qualité. Situés à proximité du salon, ils étaient un lieu de réceptions et de rendez-vous galants, et offraient le spectacle chatoyant d'une multitude de plantes, exotiques ou familières. La véranda de la princesse Mathilde mêle une végétation luxuriante à une table Louis XIII recouverte d'un tapis rouge, une chaise Louis XV, des vases et potiches de goût extrême-oriental, des statues variées et un lustre vénitien. Le monde entier, nature et cultures confondues, est ici réuni.
Musée des Arts décoratifs, Paris.

Les meubles de grand luxe

Ils se distinguent des chefs-d'œuvre isolés réalisés spécialement pour les Expositions universelles. Conçus par un architecte pour s'intégrer dans l'ambiance générale d'une pièce, ils y sont l'un des témoins les plus significatifs du niveau de qualité recherché : à ce titre, ils font l'objet des soins les plus attentifs de chacun des intervenants à tous les stades de leur réalisation.

Ces meubles sont toujours le résultat du concours de plusieurs artistes de grand talent. Dessinés jusque dans les moindres détails par un architecte qui choisit ses collaborateurs, ils associent la multiplicité des richesses à la prouesse technique. Ils sont souvent signés.

Il nous reste malheureusement peu d'ensembles complets des grands ameublements qui ont été réalisés dans les palais impé-

Projet d'aménagement de la Galerie d'Apollon au Louvre.
Dessin aquarellé, daté 1860 et signé "Ruprich-Robert". Victor Ruprich-Robert, inspecteur des monuments historiques et contemporain de Viollet-le-Duc, a conçu de nombreux projets de "restaurations" d'édifices anciens avec le souci de l'unité de style qui consistait à créer des ensembles dans l'esprit d'une époque précise, mais sans pouvoir forcément réaliser des copies exactes, par manque d'informations ou de meubles originaux. Il propose ici des fauteuils, une console et une colonne cannelée surmontée d'une coupe, de style Louis XIV, pour s'intégrer dans l'architecture de la Galerie d'Apollon.
Musée national du château de Compiègne.

riaux ou les hôtels particuliers. Des vues d'intérieur nous permettent cependant de réaliser la sophistication de ces ensembles. Le Garde-meuble fait réaliser de nombreux aménagements dans les appartements impériaux, qui se caractérisent par un foisonnement d'atmosphères les plus variées.

Ainsi le prince Napoléon se fait construire sa Maison pompéienne en 1856 par l'architecte Normand dans un style pompéien recherché, et son épouse, Marie-Clotilde de Savoie, demande à Fourdinois de meubler les appartements du Palais-Royal dans un style très classique en 1859. Grohé livre du mobilier de style Louis XVI à Saint-Cloud en 1855, une psyché pour l'Impératrice aux Tuileries en 1858 dans le même style,

Table et fauteuil pour la Galerie François Ier du château de Fontainebleau, 1860-1863.
Dessins de Victor Ruprich-Robert, ébénisterie de Grohé.
Avec l'indispensable souci d'unité d'ambiance et de fidélité au passé, Ruprich-Robert crée un mobilier adapté au style Renaissance de la Galerie François Ier et reprend les thèmes des lions ailés, des guirlandes de fruits, des feuilles d'acanthe et des enroulements de "cuirs". Mais le fronton arrondi du fauteuil et le petit nœud Louis XVI niché sous le plateau de la table, entre les deux lions ailés, sont bien la marque d'un créateur du XIXe siècle.
Musée national du château de Fontainebleau.

des meubles de goût Empire à Fontainebleau en 1861 et l'ameublement destiné à la Galerie François Ier à Fontainebleau en 1863. Cruchet équipe les Tuileries et Compiègne de tout un ensemble de tables et de consoles de style Louis XVI. En 1855, Fourdinois, Wassmus et Grohé contribuent à remeubler le cabinet de toilette de l'Impératrice à Saint-Cloud, dans le style Louis XVI qu'elle affectionne particulièrement. Mais elle fait installer l'exceptionnel bureau de Louis XV par Oeben et Riesener dans son cabinet de travail adjacent. Au Louvre, Achille Fould, ministre d'Etat, fait aménager les fameux salons entre 1859 et 1861. De 1857 à 1879, Viollet-le-Duc mène la restauration du château de Pierrefonds et dessine boiseries, lit à baldaquin, ban-

Cabinet de travail de l'Impératrice Eugénie à Saint-Cloud, 1860.
Fortuné de Fournier (1798-1864). Eugénie, qui éprouvait une passion pour Marie-Antoinette, mit à la mode le style
"Louis XVI-Impératrice". En 1853-1854, on remit les murs à neuf à partir de ce qui subsistait du XVIIIᵉ siècle. Le mobilier ne fit pas
l'objet d'une commande spéciale ; l'Impératrice choisit parmi les pièces les plus prestigieuses du Garde-meuble : le bureau de Louis
XV par Oeben et Riesener, la commode de Carlin, et les sièges, choisis pour leur exceptionnelle qualité, furent regarnis d'un capiton
vert d'eau. Quelques pièces contemporaines venaient enrichir cet aimable mélange : les chaises Chiavari devant le bureau,
la bibliothèque tournante en bois noirci, la petite table livrée par Wassmus. *Musée national du château de Compiègne.*

quettes et bornes dans le goût médiéval. Les hôtels particuliers adoptent le même type de démarche : ainsi Manguin qui construit le fameux hôtel de la marquise de Païva sur les Champs-Elysées fait-il réaliser un luxueux ensemble de meubles dans l'esprit Renaissance cependant que la salle de bains est d'un goût oriental raffiné. Eugène Lami est chargé par le comte Alphonse de Rothschild d'aménager le château de Ferrière et ses aquarelles témoignent de la succession des styles, du Louis XIII au Louis XVI.

Les appartements reflètent cette étonnante déclinaison d'atmosphères : *Dans un intérieur, un salon Louis XIV succède à un boudoir*

Grand salon du château de Saint-Cloud, 1860.
Fortuné de Fournier (1798-1864). La tonalité générale du salon est blanc et or ; le parquet marqueté a été refait.
Même mélange de styles que dans le cabinet de travail de l'Impératrice : au premier plan, un canapé dit "tête-à-tête" en raison de la
présence d'un dossier en deux parties distinctes. Juste derrière, un indiscret en bois doré. Tous deux sont tendus d'un chintz à fleur,
de même que les deux fauteuils à gauche. A côté du tête-à-tête, un petit guéridon carré dont les pieds, ornés de bagues dorées,
rappellent le motif bambou. Un ensemble de sièges de style Louis XV à garniture rouge est disposé le long des murs.
Au fond, devant les consoles, six chaises en bois doré à dossier ajouré ovale, de style rococo. *Musée national du château de Compiègne.*

Pompadour, et une salle à manger Renaissance s'ouvre sur une galerie
Louis XIII ; les tabourets japonais heurtent les canapés renversés Louis
XV. Aux angles vifs et aux bronzes affinés du chiffonnier Louis XVI fait
pendant un bahut en chêne noirci par le temps ou par le brou de noix.
Cela jure un peu avec la monotonie de nos habits noirs, mais cela
répond parfaitement, du reste, au costume féminin qui, depuis quelques
années, réalise la fantaisie d'un carnaval permanent. (Ph. Burty.)
Dans ces mises en scène subtiles qui caractérisent chaque pièce,
ce qui compte avant tout c'est la perfection aussi bien dans
l'harmonie générale de l'ensemble que dans la sophistication
des moindres détails.

Table de famille, 1859.
Henri Fourdinois. Érable, amarante.
Marie-Clotilde de Savoie, épouse du prince Napoléon, passe une importante commande de mobilier à la maison Fourdinois pour réaménager son appartement dans leur résidence du Palais-Royal en 1859. La table est destinée au salon bleu. Le mobilier est réalisé en érable, rehaussé de filets d'amarante. La garniture des sièges, de même que les tentures et les rideaux, est bleu ciel. Le choix d'un bois clair est d'autant plus surprenant que la mode est aux essences sombres ou au noir. La sobriété très classique du style étrusque était l'expression la plus raffinée du "bon goût" de la société cultivée du Second Empire et de tels exemples restent rares. La finesse du décor de palmettes et rinceaux qui courent sur le pied, l'élégance des proportions, la qualité de l'exécution en font un meuble somptueux.
Mobilier national.

**La répétition du "Joueur de flûte" et de "La Femme de Diomède"
chez S. A. I. le prince Napoléon, dans l'atrium de sa maison, avenue Montaigne**, 1861.
Gustave Boulanger. Le prince Napoléon, cousin de l'Empereur, s'était fait construire une maison de style pompéien en 1856 par le jeune architecte Alfred Normand. Homme de grande culture et collectionneur avisé, il apprécie l'antiquité classique. L'atrium était décoré selon des procédés illusionnistes, mêlant trompe-l'œil et sculptures. Les personnages, vêtus de tuniques, évoluent au milieu de quelques rares meubles : à droite une couchette en ébène sculpté, dont l'assise est garnie de gros coussins. A côté, un siège dont le dossier et le pied avant offrent des courbes généreuses et sobres. Au fond, une athénienne à piétement très fin soutient une cassolette enflammée. Enfin, à gauche, la fontaine surmontée d'une statue est flanquée de deux jardinières en bois clair, ornées de petits compartiments. Cette scène et son décor témoignent du goût prononcé de la société du Second Empire pour les déguisements, tant des personnes que de l'habitat. *Musée national des châteaux de Versailles et de Trianon.*

Le salon de la princesse Mathilde, vers 1867.
Aquarelle de Charles Giraud.
L'aménagement de l'hôtel de la rue de Courcelles a été pensé avec une évidente volonté d'unité et de symétrie.
Le style Louis XVI et les tonalités générales blanc, bleu ciel et jaune pâle créent une ambiance
à la fois lumineuse et un peu froide qui convient à la fonction de la pièce.
A la rosace du plafond répond celle du tapis ; la bibliothèque peinte fait face à un meuble vitrine en bois clair.
Au centre, une petite table ronde et un samovar. Le salon ouvre sur la salle à manger dont on aperçoit au fond la cheminée.
Musée des Arts décoratifs, Paris.

Salle à manger de la princesse Mathilde, rue de Courcelles, vers 1867.
Aquarelle de Charles Giraud. Une atmosphère très chaleureuse se dégage de la pièce.
L'harmonie générale rouge, soulignée de bleu, donne son unité à la pièce :
le plafond décoré d'un fin semis de pois, le tapis dont la partie centrale est réservée en jaune pour mieux mettre la table en valeur,
les rideaux à larges bandes horizontales. Le luxueux travail d'ébénisterie a été pensé dans sa globalité :
une large corniche au plafond et des lambris ceinturent la pièce ; à l'importante cheminée sculptée répondent
les cabinets à deux corps qui se font face. Les chaises disposées autour de la table ronde
et les fauteuils Louis XIII sont garnis de cuir teinté en bleu clouté et équipés de roulettes.
Au fond, un brasero ; au mur, un grand plat et un vase évoquent l'engouement pour l'art oriental.
Musée des Arts décoratifs, Paris.

Cabinet à deux corps provenant de l'hôtel de la marquise de Païva, 1865. Détail.
Dessin de Pierre Manguin, architecte, ébénisterie d'Antoine Kneib, sculptures d'Aimé-Jules Dalou,
d'Emile-Louis Picault, d'Eugène Delaplanche, émaux de Bernard-Alfred Meyer d'après Emile Levy.
Poirier noirci, ébène, bronze doré, lapis-lazuli, jaspe, ivoire.
L'intérieur du meuble de Manguin est d'un luxe somptueux : les parois sont tendues de soie bleu ciel
et les étagères enrichies d'une délicate passementerie ; par contraste, les portes, en bois noirci et moulures d'ébène,
sont ornées de superbes émaux néoclassiques de Meyer, et sont incrustées d'ivoire et de jaspe sanguin.
Musée des Arts décoratifs, Paris.

Console, 1864.
Aimé-Jules Dalou.
Marbres, bronze doré et patiné, onyx, albâtre. Le grand salon de la marquise de Païva était orné
de quatre consoles identiques à celle-ci, que Dalou exécuta probablement sous la direction de Carrier-Belleuse.
Inspirée par certaines consoles italiennes du XVIIe siècle, cette console oppose avec éclat les
"bronzes florentins" très sombres aux ors et aux marbres clairs des plateaux.
La place prépondérante occupée par les sculptures la situe
à la convergence si recherchée entre beaux-arts et arts décoratifs.
Musée des Arts décoratifs, Paris.

Grand salon de réception du ministre d'Etat au Louvre, 1852-1860.
Conçu par Hector Lefuel. Sculptures de Tranchant, peintures de Biennoury et Laurent Jan, plafond par Maréchal.
Le décor et le mobilier de cette pièce somptueuse sont d'origine. L'ensemble, doit sa réussite aux proportions monumentales,
à l'éclat des couleurs or et cramoisi mis en valeur par les grands lustres de Barbedienne.
Une grande quantité de sièges, tous garnis de velours, mais de type différent, meublent confortablement l'espace :
grande borne centrale à accotoirs et jardinière, fauteuils et chaises de style Louis XV,
complétés par des chaises légères à dossier lyre de style Louis XVI.
Musée du Louvre.

Confident et indiscret,
vers 1859. Quignon ébéniste.
Bois sculpté doré, damas de soie.
Ces sièges, très en vogue sous le
Second Empire, ont été
l'occasion pour les ébénistes de
jouer avec la sinuosité plus ou
moins complexe des formes. Le
confident est prévu pour deux
places inversées réunies par le
même dossier ; dans l'indiscret,
pour trois personnes, l'unique
dossier prend une forme
hélicoïdale. Ces deux sièges sont
garnis de damas de soie jaune
capitonnée à frange ; ils sont
munis de roulettes. Malgré la
nouveauté de ce type de sièges,
la référence au passé subsiste
dans les accotoirs en bois doré
de style Louis XV. *Musée national
du château de Compiègne.*

Chaise gondole, vers 1855.
Papier mâché, bois noirci, incrustations
de nacre, dorure. L'exceptionnelle
qualité de cette chaise, probablement
fabriquée en Angleterre, mais très prisée
en France comme l'ensemble des
meubles en papier mâché, provient de
la finesse de son incrustation de nacre.
Un motif vermiculé court tout au long
de la forme mouvementée du dossier.
Le bouquet central est traité avec une
subtile alliance de nacres translucides
aux reflets roses et verts, et de feuilles
d'or brillantes mais opaques.
Musée des Arts décoratifs, Paris.

Chaise légère, vers 1850.
Bois noirci, incrustations de
nacre, dorure.
La nacre, matériau recherché,
était utilisée dans les parties les
plus visibles d'un meuble. Ici,
l'élégant dossier est mis en
valeur par la fine mosaïque de
nacres à reflets différents. Un
mince filet doré relève
l'ensemble. Les pieds sont plus
simplement décorés de motifs
dorés peints sur le bois noirci.
Musée des Arts décoratifs, Paris.

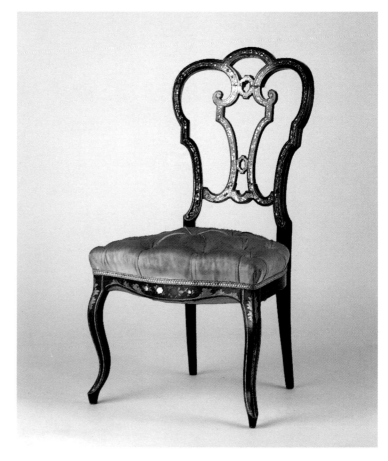

Chaises légères, vers 1860.
Maison Duval Frères. Dessin aquarellé.
Ces quatre chaises, d'inspiration très différente, illustrent le souci
qu'ont eu les fabricants de s'adapter aux demandes multiples de la
clientèle. Compte tenu de l'énorme quantité de modèles
différents, les maisons d'ameublement réalisaient des catalogues
pour faciliter les choix de la clientèle. *Musée des Arts décoratifs, Paris.*

Fauteuil à capiton, vers 1860.
Album de modèles de la maison Duval Frères ;
dessin aquarellé de Poirier fils.
Le rembourrage apparemment très moelleux du capiton,
la rayure bayadère de la garniture et la passementerie à franges
donnent à ce fauteuil l'allure particulièrement confortable
qu'appréciait la bourgeoisie du Second Empire.
Musée des Arts décoratifs, Paris.

Les meubles bourgeois courants

Pour l'ameublement des intérieurs modestes, les architectes n'interviennent pas. C'est peut être la raison pour laquelle on y trouve une veine créative différente. Loin des jugements émis par l'élite du "bon goût", les fabricants donnent libre cours à leur fantaisie pour aller à la rencontre d'un plus large public.
La clientèle choisit sur catalogue. Chaque manufacture propose la gamme complète d'un ameublement : lits, sièges, tables, guéridons, meubles de rangement, bureaux, déclinés pièce par pièce

Pieds motif bambou, vers 1860.
Bois doré, soie jaune capitonnée.
Musée des Arts décoratifs, Paris.

Pieds motif cordage, vers 1860.
Bois doré, satin broché, passementerie.
Musée des Arts décoratifs, Paris.

Pieds en pattes de lion, vers 1860.
Maison Duval Frères. Dessin aquarellé.
Musée des Arts décoratifs, Paris.

Le pouf, tabouret bas et rembourré, connaît un grand succès sous le Second Empire comme siège d'appoint confortable. Ceux-ci sont particulièrement luxueux, avec leur garniture de soie capitonnée ; leurs pieds finement sculptés disent toute la qualité d'exécution que les ébénistes ont su mettre dans les meubles courants. Les poufs plus modestes se caractérisent par une garniture tombant jusqu'au sol et permettant de ne pas sculpter les pieds ; dans ce cas, ils étaient réalisés par de simples menuisiers qui livraient le bois brut au tapissier chargé de la garniture.

dans une infinie variété de modèles et de styles. Le mobilier, comme d'autres secteurs, devient objet de consommation et la clientèle se voit confrontée à l'apprentissage du choix. Le meuble bourgeois se caractérise par sa production en série : les assemblages, les décors, les formes, tout y est pensé par éléments fabriqués séparément, puis assemblés selon l'esprit qu'on veut donner au meuble.

La grande exigence de la clientèle est le confort, d'où les formes molles et amples du mobilier. C'est le règne du tapissier qui permet de masquer l'origine industrielle du meuble. En offrant un choix infini de housses et de passementeries, des plus simples aux plus raffinées, il permet de personnaliser l'ameublement. La structure des meubles, notamment des sièges et des lits, se simplifie jusqu'à deve-

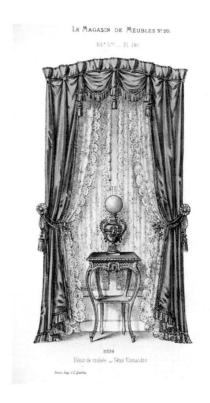

nir un squelette de bois blanc assemblé par les menuisiers, sans l'intervention des ébénistes. Le caractère fonctionnel est de plus en plus affirmé ; chacun d'eux doit répondre à un usage précis (parfois plusieurs, pour des raisons d'économie de place) et les fabricants proposent une gamme variée de meubles offrant un confort plus immédiat que par le passé : dans la chambre à coucher, l'armoire à glace, apparue sous le Premier Empire, et qui se présentait toujours avec une seule porte, s'agrandit et ouvre à deux portes munies chacune d'un miroir ; le lit conjugal, traditionnellement unique (qui s'était transformé depuis 1840 environ en lit double, dit lits jumeaux) peut être remplacé par un

Décor de croisées de fenêtre - Décor de lit. Vers 1860.
Maison Victor Quétin.
Le rôle du tapissier est essentiel : le tissu permet d'unifier l'ameublement d'une pièce. Pour cela, les tapissiers disposent d'une grande variété de techniques et de modèles qu'ils déclinent selon le goût des clients : voilages, rideaux, doubles rideaux, tentures, baldaquins, couvre-lits, tables de toilette peuvent être capitonnés, juponnés, tendus et enrichis de passementeries dont l'étendue du choix étourdissait la clientèle la plus déterminée.
Bibliothèque des Arts décoratifs, Paris.

Semainier, vers 1865-1870.
Palissandre rehaussé d'amarante, ivoire.
Les meubles de rangement se multiplient et
s'adaptent aux dimensions plus réduites
des appartements dans les immeubles à
loyer. Les ébénistes proposent des meubles
de plus en plus fonctionnels. Ce semainier,
étroit, est d'une grande sobriété de formes.
Mais tout son charme réside dans le délicat
décor incrusté des façades de tiroirs dans
l'esprit du XVIIe siècle : un motif d'oiseaux,
alternant avec des rinceaux de feuillages
piqués de petites fleurs en ivoire, disposés
symétriquement autour des serrures.
Collection particulière.

grand lit très large, prévu pour deux personnes, avec deux che-
vets et parfois même deux matelas placés dans un même bâti.
Les meubles multifonctionnels vont du chiffonnier-secrétaire
aux chaises-prie-Dieu ou aux tables de nuits-oratoires.

Le mobilier de bureau se diversifie avec la création de secré-
taires-coffres-forts, et d'étagères-bibliothèques tournantes ; les
bibliothèques deviennent gigantesques, à l'image de la connaissance encyclopédique des familles.

Les salons sont l'occasion de décliner une incroyable variété de
sièges, dont les noms évocateurs en disent long sur leur usage :
la chauffeuse à fond bas destinée aux femmes installées au coin
du feu, le crapaud de petite taille, à dossier bas et de forme
arrondie, la chaise fumeuse sur laquelle les hommes s'asseyent
à cheval en s'accoudant au dossier pour fumer, le pouf, tabouret
rembourré rectangulaire, carré ou circulaire, ou encore de forme
dite "oreiller" ; il y a aussi les sièges à plusieurs places : le confident, à deux places disposées en sens inverse, la boudeuse, à
deux places dos à dos, l'indiscret à trois places adossées, ou
enfin la borne, sorte de canapé circulaire dont le centre contient
souvent une jardinière. Dans les salles à manger, le traditionnel
buffet Louis XIII ou Henri II peut prendre des proportions
imposantes et le vaisselier traditionnel est remplacé par le buf-
fet-vitrine permettant d'exposer des objets précieux.

Si certains types de meubles n'évoluent guère depuis le XVIIIe
siècle, comme le chiffonnier, le semainier ou la commode, c'est
qu'ils répondent à des besoins assez généraux et peuvent être
placés indistinctement dans des pièces différentes.

La sculpture, même simple, reste l'apanage des plus riches.

Meuble d'appui à quatre tiroirs, vers 1855.
Bois noirci, incrustations de nacre, dorure. Ce meuble, de construction
très simple, est enrichi par un superbe décor de fleurs et d'oiseaux
voletant autour du nid où se mêlent plusieurs techniques :
incrustations de nacres, rehaussées de pinceautage à la main, dorure.
Musée des Arts décoratifs, Paris.

Guéridon redressable, vers 1855.
Bois noirci, incrustations de nacre, dorure.
Le guéridon connaît une grande vogue en raison de sa commodité : il est mobile et de petite taille.
Celui-ci allie un grand raffinement de formes à un éblouissant décor nacré.
Le plateau est d'une étonnante prouesse technique : le bord mouvementé, en relief,
est doublé d'un filet bordé de part et d'autre de petites incrustations de nacre, elles-mêmes ornées
de minuscules entrelacs en dorure peinte à la main. Au centre, légèrement creusé par rapport au bord, on a représenté
un grand bouquet de fleurs, dans l'esprit des natures mortes hollandaises du XVIIe siècle ; il est posé sur une table
discrètement représentée, au bord de laquelle se trouvent un nid et deux œufs brillants.
Musée des Arts décoratifs, Paris.

Guéridon d'une paire, vers 1860.
Signé F. Laurent.
Acajou, porphyre, marbre et malachite, bronze doré. Les emprunts au style Louis XVI sont ici évidents,
notamment dans les sabots et les têtes de bouquetins qui ornent finement les pieds, et dans la petite draperie à glands
qui court sous la ceinture. Les incrustations du plateau, sur le thème du cercle, sont toutes bordées d'un filet de cuivre.
Musée des Arts décoratifs, Paris.

Guéridon, vers 1860.
Marbre avec décor peint, bronze doré.
Le piétement, traité sur le thème de l'aigle, donne toute son originalité à ce guéridon,
qui a appartenu à Jeanne Lanvin. Le plateau est soutenu par trois têtes d'aigles
qui tiennent dans leur bec chacun un anneau ; ceux-ci permettent de soulever commodément le meuble.
Trois grandes courbes, ornées de petites et grandes plumes, prolongent les cous des oiseaux jusqu'à leurs griffes.
Chacune d'entre elles serre une boule qui repose sur le sol. Les trois pieds sont reliés entre eux par un bandeau dans lequel
sont ciselés des fleurs entrelacées. Le plateau en marbre noir est orné d'un délicat bouquet de roses fraîches.
Musée des Arts décoratifs, Paris.

Vitrine basse "Le Nil",
vers 1860.
Acajou, bronze doré, marbre
blanc. Cette petite vitrine, d'une
disposition un peu inhabituelle,
illustre le goût pour la collection
et l'accumulation de différentes
expressions de l'art : au meuble
lui-même, d'un style Louis XVI
relativement sobre, s'ajoutent les
objets de collection surmontés de
l'allégorie du Nil (une autre
vitrine présente l'allégorie du
Tibre). Très néoclassique, la
sculpture confère ici le statut
d'œuvre d'art au meuble autant
qu'aux objets exposés.
Musée des Arts décoratifs, Paris.

Le goût pour les contrastes domine le mobilier courant de cette époque ; ils offrent l'apparence du luxe. Le moindre guéridon est généralement peint ou teint en noir et ses contours, parfois très sobres, sont rehaussés d'un mince filet d'or et ses pieds ornés d'un petit bronze. Les bouquets de fleurs peints au pochoir, inspirés des natures mortes hollandaises du XVIIe siècle, ressortent avec vivacité sur le noir.

On aime aussi opposer les mats et les brillants, et c'est dans cet esprit que sont utilisées les incrustations de nacre.

Table d'inspiration Renaissance, vers 1860. Détail.
François Gautier. Ebène, ivoire, bronze patiné. Les pieds en console de cette table sont sculptés : quatre bustes de femmes ailées et cuirassées supportent le plateau ; les ailes se déploient largement le long de chacun des côtés. La présence de sculptures reste un luxe. Mais le bronze, en raison de sa technique de moulage, était un peu moins onéreux que la sculpture sur bois. *Musée des Arts décoratifs, Paris.*

LE MOBILIER
DES ANNÉES 1880

LA SOCIÉTÉ FRANÇAISE SORT MEURTRIE ET HUMILIÉE par la chute du Second Empire, suivie de l'ultime révolution de ce siècle, la Commune. Les années 1880 sont marquées par une volonté de reconstruction qui s'enracine dans l'affirmation forte d'une identité nationale ; celle-ci s'exprime aussi bien dans la réussite économique que dans les lettres, les arts et le cadre de la vie quotidienne. Si l'évolution du goût ne témoigne pas d'une rupture à la mesure du choc social, il faut cependant observer que l'éclectisme continue de se développer, mais avec plus de sobriété : les connaissances des siècles passés se sont affinées, les fabricants proposent des modèles très structurés et le public apprécie les atmosphères austères.

Les Expositions
Après avoir participé dès 1873 à l'Exposition universelle de Vienne, puis à celle de Philadelphie en 1876, les gouvernements français décident successivement d'organiser les trois exposi-

Salon de l'hôtel de Madame de Biencourt, rue de Chaillot à Paris, 1887.
Aquarelle de Paul Pujol. La fin du siècle voit se confirmer la nostalgie pour le passé et les intérieurs se veulent fidèles aux sources. Ici, Valentine de Biencourt, qui a pris le parti de dessiner elle-même les meubles de son intérieur, reconstitue un intérieur XVIIIe : elle a composé la cheminée de brèche violette exécutée par Durand et fils, ainsi que le grand miroir rocaille. Le mobilier est probablement un heureux mélange de pièces d'époque et de copies qui créent une véritable unité de style. On est loin des fantaisies éclectiques du Second Empire. *Musée des Arts décoratifs, Lyon.*

Porte en bois sculpté pour une bibliothèque, Exposition universelle de 1878.
Chêne, acajou, ébène, buis. Maison Fourdinois. Cette monumentale porte de style Renaissance, en bois variés,
a été très bien accueillie par la critique. Son iconographie indique qu'elle est destinée à une bibliothèque :
au fronton, l'allégorie de l'Etude domine l'ensemble de cette architecture austère ;
sur les vantaux, les médaillons représentent Minerve et Apollon, sur fond de branches de laurier et d'olivier.
Les ébénistes de la fin du siècle créent des œuvres fidèles au passé, qui pour autant ne sont pas des copies.
Leur obsession est de transmettre la culture classique aux jeunes générations.
Musée des Arts décoratifs, Paris.

tions suivantes à Paris : en 1878, pour démontrer la prospérité retrouvée du pays, en 1889, date anniversaire de la Révolution française et en 1900, année symbolique de la charnière entre les deux siècles.

Les tendances nées sous le Second Empire semblent se crisper dans des directions de plus en plus contradictoires.

En 1878, on retrouve les noms les plus connus de l'ébénisterie française : Fourdinois, Beurdeley, Grohé, Barbedienne continuent de présenter des chefs-d'œuvre malgré l'insistante pression des jurys d'exposer des meubles courants.

En 1889, deux nouvelles maisons apparaissent : Majorelle et Gallé, installées à Nancy.

Deux courants de plus en plus opposés traversent les créations de mobilier : d'une part les tenants d'une relecture rigoureuse du passé, alliée à une perfection technique inégalée ; tout y est précis, cohérent ; le choix du style est l'occasion d'une démonstration quasi scientifique ; d'autre part, les amoureux d'une autre culture, le Japon, d'autant plus fascinant qu'il est encore mal connu. L'art décoratif japonais inspire les ébénistes français qui y découvrent des thèmes naturalistes exotiques, étranges. L'enjeu consiste à maîtriser l'ornement, à jouer avec des formes nouvelles et à utiliser des matériaux subtils comme l'émail, les laques.

Le japonisme se présente comme l'une des voies permettant de sortir de l'impasse de l'éclectisme historique, ce qui explique la force avec laquelle émerge cette nouvelle tendance. Les meubles de la maison Duvinage, de l'architecte Lièvre, par exemple, tracent la direction qu'emprunteront les créateurs de l'Art Nouveau.

L'Exposition de 1889 est un moment de confrontation entre la tendance éclectique qui semble aboutir à une impasse et les jeunes créateurs.

Les manufactures d'ameublement sont acculées à choisir entre des conceptions opposées du décor intérieur. Gallé éprouve les contradictions de l'époque : dans son rapport pour le jury de

Cabinet d'encoignure "japonais", 1874. Exposition universelle de 1878. Bâti et piétement en ébène, palissandre, noyer noirci, bronze doré, cuivre, argent, or et émail. Maison Christofle, composition par Emile Reiber (1826-1893) ; ébénisterie de Grohé. Ce meuble d'une paire aurait été commandé par Napoléon III, mais sa notoriété provient surtout de sa présentation à l'Exposition de 1878. La maison Christofle est spécialisée dans la galvanoplastie qui consiste à déposer par électrolyse de fines couches d'argent ou d'or sur un objet en bronze ou en cuivre.
La "découverte" de l'art japonais a stimulé les perfectionnements techniques et l'usage de matériaux luxueux, associés aux procédés galvanoplastiques et à la redécouverte des anciennes techniques de l'émail cloisonné.
La mode "japonaise" envahit tout l'art décoratif depuis plusieurs années : médaillon central orné d'une geisha, fine architecture de bambou, typiquement chinoise. Une paire d'encoignures de ce type aurait été commandée par la marquise de Païva, pour son nouveau château en Silésie, après 1870. *Musée des Arts décoratifs, Paris.*

Table de musée "Le Rhin",
Exposition universelle de 1889.
Emile Gallé (1846-1904) avec le concours
du peintre Victor Prouvé qui a composé la
frise du plateau. Noyer sculpté, prunier,
ébène incrustée, citronnier, palissandre,
houx, poivrier, bronze. Gallé donne à sa
table une double symbolique : réalisée pour
un musée, elle traduit son souci d'offrir une
formation artistique à la jeunesse. Les
inscriptions font de ce meuble un véritable
message politique : *Le Rhin sépare des
Gaules toute la Germanie Tacite (…)
Je tiens au cœur de France : Fait par Emile
Gallé / de Nancy / en bon espoir / 1889 Plus
m'y poigne plus j'y tiens.* Gallé souligne la
force de ses propos par la sculpture
vigoureuse du piétement de style
Renaissance, très en vogue à l'époque.
Musée de l'Ecole de Nancy, Nancy.

l'Exposition de 1889, il explique l'importance qu'il accorde à *l'interprétation décorative de la nature*, mais il ajoute qu'il se heurte à *la question broussailleuse des styles*. Il s'agit d'un conflit de générations : au tournant du siècle, la "névrose" de l'ancien, du passé national idéalisé ne fascine plus les jeunes. Et Gallé conçoit sa table de musée *Le Rhin* avec ses inscriptions et son sens profondément symbolique comme un message à l'attention des membres du jury. A la même Exposition de 1889, Louis Majorelle présente un lit en forme de traîneau, réalisé dans un style rocaille exacerbé en bois sculpté, doré et peint au vernis Martin ; la tendance historiciste est poussée ici jusqu'au délire. Trois ans auparavant, l'ébéniste nancéien avait réalisé pour la famille royale hollandaise une importante commande de mobilier destiné au château de Van Loo, dans un rococo tout aussi extravagant. Mais il change d'orientation dès les années suivantes.

Un autre lieu d'expositions significatives s'ouvre à Paris à cette époque : créée en 1864, l'Union centrale des Arts décoratifs décide de devenir un lieu d'enseignement destiné aux jeunes générations, pour sortir de l'impasse dans laquelle semble s'enliser l'art décoratif français : une bibliothèque, un musée d'arts décoratifs et des expositions organisées autour des différents matériaux. L'exposition consacrée aux arts du bois a lieu en 1882 et traduit le même malaise et les mêmes recherches des ébénistes français qu'aux Expositions universelles.

**Stand de la maison Fourdinois à l'Exposition des arts du bois
organisée par l'Union centrale des Arts décoratifs en 1882.**
Créée en 1882, l'Union centrale des Arts décoratifs se donne pour mission
d'être un lieu d'enseignement pour les jeunes générations : une bibliothèque, un musée d'arts décoratifs
et des expositions organisées autour des différents matériaux utilisés par les artistes et les industriels.
La célèbre maison décline ici tout son savoir-faire : éclectisme des choix, perfection d'exécution.
Bibliothèque des Arts décoratifs, Paris.

Les meubles de luxe

Les gouvernements successifs de la Troisième République ne semblent pas avoir passé de commandes significatives de mobilier, pour diverses raisons, à la fois économiques et symboliques, se démarquant ainsi des traditions royales et impériales. Entre 1870 et 1889, on observe une distinction de plus en plus profonde entre le mobilier luxueux, fabriqué sur commande spéciale, dessiné par un architecte, et la production courante. Ainsi les hôtels de Valtesse de La Bigne, de son ami Edouard Detaille au boulevard Malesherbes vers 1875 et l'étonnante demeure de style Renaissance du collectionneur Emile Gaillard, ou l'hôtel de la comtesse de Biencourt à Paris.

De grands ébénistes produisent des œuvres d'exception : toujours Fourdinois, Beurdeley, Hunsinger et Wagner, mais aussi Wassmus, Durand, et Linke. L'une des principales caractéristiques de cette période réside dans la recherche des extrêmes. La tendance historiciste, mais aussi la fascination pour les motifs japonais, ou le retour à la nature, s'expriment dans une sorte d'ultime intensité. Les reconstitutions passéistes deviennent presque plus "vraies" que l'original. D'une exécution parfaite, ces "copies" neuves et solides répondent au désir profond de se démarquer de la génération précédente qui avait créé "dans le style de" ou "à la manière de" ; il s'agit maintenant d'aménager son intérieur sur les bases d'une connaissance historique précise, scientifique, avec des meubles qui reflètent tout le sérieux de la démarche. Lorsque le duc d'Aumale reconstruit Chantilly entre 1875 et 1885, et qu'il fait exécuter pour sa chambre des sièges d'après des modèles du XVIIIe siècle, il s'agit bien d'une fidélité

Lit de parade de Valtesse de La Bigne, vers 1875. Dessin d'Edouard Lièvre (1829-1886). Bronze patiné, bois (velours de soie tissé en 1994). Ce lit a été conçu pour l'une des plus célèbres courtisanes de la fin du siècle, Valtesse de La Bigne, dont l'extravagante destinée inspira à Zola le personnage de Nana. Son invraisemblable hauteur (4,15 m) avait justifié la construction d'une chambre d'environ 5,60 m sous plafond. Ce lit offre la particularité d'avoir une structure en bois totalement gainée de velours de soie, elle-même recouverte d'un décor en bronze ajouré. Aux tentures théâtrales s'ajoute une singulière iconographie : au chevet les armes (fantaisistes) de Valtesse, des cassolettes enflammées au pied et des masques de faunes au baldaquin. Le style mêle les éléments Renaissance à quelques clins d'œil néoclassiques. Mais le gigantisme du lit appartient au XIXe siècle. *Musée des Arts décoratifs, Paris.*

Grand salon et premier salon de l'hôtel Gaillard, place Malesherbes, vers 1880. Actuellement occupé par la Banque de France, cet hôtel particulier fut conçu pour abriter la collection d'art médiéval d'Emile Gaillard. Les deux salons traduisent à l'extrême le goût que pouvait avoir un collectionneur pour déguiser sa demeure. Ici, tout est illusion et l'ambiguïté va jusqu'à mêler des meubles authentiquement médiévaux ou Renaissance avec des productions parfaites du XIX⁰ siècle. C'est probablement le cas des tables et des sièges, notamment dans le premier salon, la paire de fauteuils du fond garnis de velours à franges et équipés de roulettes. *Bibliothèque des Arts décoratifs, Paris.*

Cabinet, 1879.
Charles Hunsinger (1823-1893) et Charles-Adolphe-Frédéric Wagner. Tilleul sculpté et noirci, marqueterie d'ébène, de poirier, de palissandre, d'acajou, de sycomore, de buis et d'os gravé. A l'esprit des cabinets du XVIIᵉ siècle, relevé ici par la présence de deux chimères opposées au fronton, s'ajoutent quatre petits dragons en bronze doré.
Musée d'Orsay, Paris.

rigoureuse au passé qui n'admet aucune fantaisie. C'est d'ailleurs dans ce même esprit que Durand réalise une copie du bureau de Louis XV, démonstration éblouissante de sa quête de perfection technique.

Tous les courants stylistiques sont représentés, comme l'évoque Frantz Jourdain dans un dégoût caractéristique des opposants à cette école : *Oh ! fuir le grand salon Louis XIV, la chambre à coucher Louis XVI, la salle, le boudoir Louis XV, la bibliothèque Louis XIII, la salle à manger Henri II, le hall Louis XII, la salle de billard japonaise,*

Cheminée de la galerie de l'hôtel de Charles Gillot à Paris, 1880-1885.
Chêne sculpté, faïence émaillée. Dessins d'Eugène Grasset (1853-1917), ébénisterie de Fulgraff.
Grand collectionneur, Charles Gillot avait confié la décoration de son hôtel particulier, rue Madame à
Paris, à son ami Eugène Grasset. Tous deux partageaient la même passion pour les arts médiévaux et
extrême-orientaux. Grasset a conçu une cheminée monumentale, exceptionnelle, à la mesure des
collections de son ami, abritées dans cette galerie. L'iconographie est encyclopédique : au sommet, une
chauve-souris et un oiseau symbolisent le Jour et la Nuit. Au-dessous sont figurés les quatre éléments et
les quatre saisons. Sur les panneaux des portes, on trouve les allégories du Travail, de l'Etude, de la
Guerre et de la Paix, de la Science et de l'Art. Grasset justifie le foisonnement des motifs décoratifs,
déclinés dans les moindres recoins : *chaque détail intéresse et captive*. *Musée des Arts décoratifs, Paris.*

**Mobilier de salle à manger
de l'hôtel de Charles Gillot
à Paris**, 1880-1885.
Musée des Arts décoratifs, Paris.

*le fumoir mauresque, la salle de bains pompéienne ! Ne pas repasser
la page de géographie et d'histoire en visitant une maison amie !*
(*L'Atelier Chantorel*, 1893.)

La créativité des ébénistes de cette époque se situe là où on ne
l'attend pas : dans le jusqu'au-boutisme sans faille de leurs
choix. Soit qu'ils dégagent une impression de grand sérieux :
structure sévère, teintes sombres, décor graphique ou sculpté,
dont les invraisemblables accumulations sont très structurées.
Soit qu'ils tissent un réseau d'incrustations japonisantes irréelles
et fragiles. Soit enfin qu'ils retiennent de la nature les plantes les
plus familières sculptées avec un réalisme trompeur.

Meubles à hauteur d'appui du salon de la comtesse de Biencourt, 1882. Maison Durand et fils. Placage de bois de violette. La comtesse, qui a dessiné les meubles de son salon, s'est adressée à la maison d'ébénisterie Durand, spécialisée dans les meubles de luxe inspirés ou copiés du XVIIIe siècle. Il n'est pas impossible que les meubles de Dubois, conservés à la Wallace Collection à Londres, aient servi de modèle pour l'architecture générale. Mais Valentine de Biencourt ne se contente pas de la sobriété néoclassique et y ajoute des bronzes d'une surprenante liberté créatrice : les mascarons barbus et les étonnants dauphins des pans coupés appartiennent au répertoire baroque. La démarche allie rigueur de construction et fantasme dans le décor.
Musée des Arts décoratifs, Lyon.

Ci-contre à gauche, détail.

A l'éclectisme fantaisiste et ambigu du Second Empire succèdent les démonstrations stylistiques, quasi didactiques, sous la Troisième République. Les ébénistes, comme d'ailleurs les autres industriels et artisans, sont les défenseurs de l'art pour tous et se battent pour créer un véritable enseignement des arts décoratifs capable de donner aux futurs ébénistes la culture humaniste qui semble irrémédiablement disparaître. A leurs yeux, l'inexorable spirale de la production en série, qui absorbe majoritairement les forces vives du Faubourg, entraîne un

appauvrissement du goût, et un critique a pu parler de *l'érudition plébéienne du Faubourg* (Meyer, 1889).

Les architectes, comme les manufacturiers, ont voulu donner au meuble de luxe un statut proche de l'œuvre d'art des Expositions : le beau peut se répandre dans toutes les demeures de qualité. Cette exigence de faire coïncider le beau avec l'enseignement de la culture est, dans certains cas, source d'une fantaisie créatrice inattendue, comme par exemple chez Grasset ou chez Durand.

Chambre à coucher du peintre M. de N.
in Planat, Habitations particulières, 1re série, Hôtels privés, Paris, s.d., planche 41.
L'éclectisme règne sans partage dans cette chambre à coucher de peintre :
la cheminée Renaissance flanquée de deux étendards dont l'un à fleurs de lys,
le cabinet noir surmonté de statuettes de style troubadour, le lit de repos Louis XV, l'ombrelle japonaise,
le fauteuil Louis XIII, la petite table et la cafetière arabes, la collection d'épées
et de sabres créent une ambiance très sophistiquée.
Bibliothèque des Arts décoratifs, Paris.

Cabinet japonais, vers 1877.
Dessin d'Edouard Lièvre (1829-1886).
Peinture d'Edouard Detaille. Palissandre, ébène,
bronze doré, fer gravé, verre, panneau peint à l'huile.
La forme pagode de la corniche, la surabondance des bronzes
ciselés font de ce meuble original un objet de collection plus
d'usage. A l'exotisme du décor s'ajoute, en contraste, la
peinture d'Edouard Detaille à connotation militaire.
Musée d'Orsay, Paris.

Détail

Cabinet, vers 1878.
Maison Duvinage. Palissandre, marqueterie d'ivoire, incrustations de bois dans des cloisons métalliques, bronze coloré. L'installation du "musée chinois" à Fontainebleau par l'Impératrice Eugénie en 1863, l'ouverture du Japon à l'Occident par l'Empereur Meiji en 1867, ont lancé la mode du "japonisme" et des "chinoiseries" en France à la fin du Second Empire. Les ébénistes, fascinés par la perfection formelle des objets extrême-orientaux, inaugurent de nouvelles techniques : laques, incrustations, émaux cloisonnés, verres gravés. La maison Duvinage dépose un brevet d'invention de "mosaïque combinée avec cloisonnement métallique". L'originalité tient ici à l'application de marqueterie de bois divers sur fond d'ivoire. L'alliance des teintes variées de bois, mais aussi de dorures et d'argenture sur les bronzes, s'ajoute au raffinement des motifs de chrysanthèmes, dragons, phénix, hirondelles ou papillons.
Musée d'Orsay, Paris.

Le mobilier bourgeois courant

Désormais, la production industrielle occupe l'essentiel du faubourg Saint-Antoine. Le marché est littéralement inondé de meubles courants, fabriqués en grandes quantités et qui répondent à la demande d'une clientèle plus soucieuse de commodité que de recherches décoratives. La loi de la série accentue la distinction entre meubles de luxe et meubles bon marché. Pour l'acheteur qui choisit sans l'aide d'un architecte, la sécurité se trouve dans l'austérité qui offre moins de prise au mauvais goût. Lorsque Fourdinois livre une chambre à coucher bourgeoise, il propose des meubles sobres, d'un style aisément identifiable. Les armoires deviennent gigantesques : elles ont trois portes, équipées de trois miroirs qui, dans les cas les plus raffinés, peuvent être pivotants et escamotables sur les côtés.

Les coffres-forts sont fréquemment introduits dans plusieurs types de meubles de rangement ou de bureaux.

Aquarelle, 1881.
Jules David. Ces dames vêtues de robes à tournures évoluent dans un intérieur coquet dont la clarté annonce le tournant du siècle : chauffeuse à volants juponnés, bergère Louis XV, sur la table recouverte d'un tapis, une plante et, sur la cheminée, des plumes de paon.
Musée des Arts décoratifs, Paris.

Bureau à cylindre de dame, vers 1885. Maison Rousseau. Peinture d'Edouard Toudouze. Bois de violette sculpté. Ce petit meuble, relativement modeste et d'apparence austère, est agrémenté d'une peinture de Toudouze qui représente un vase de fleurs inscrit dans un encadrement rocaille ; de part et d'autre, deux scènes troubadour sur fond or, une jeune femme lisant près d'un rouet, et un jeune homme jouant du luth. Le décor sculpté de style Renaissance associe, sur les côtés, des bustes de sphinges à des oiseaux posés sur une corne d'abondance. La galerie supérieure, les motifs de piastres, de godrons, les pieds en balustre sont couramment employés à cette époque.
Musée national du château de Compiègne.
(Dépôt du musée des Arts décoratif, Paris)

Armoire à glace

Table de chevet

Secrétaire fermé

Secrétaire ouvert

Mobilier de chambre à coucher : armoire à glace, table de chevet, secrétaire, vers 1875.
Maison Fourdinois.
Chêne, buis, bois noirci et bronze doré. Ce mobilier, modeste, illustre avec une rare maîtrise
ce que Fourdinois appelait *une sorte de demi-luxe à la portée des classes moyennes.*
Répondant aux exigences de la clientèle, il réalise un mobilier commode, de bon goût et d'une parfaite exécution :
le chiffonnier, multifonctionnel, cache un coffre-fort et sert en outre de secrétaire !
De style Louis XVI, ces meubles se distinguent par leur sobriété : Fourdinois a orné les pans coupés
d'un chapiteau ionique et de chutes de petites roses enrubannées ;
de minces filets de bois noir et de buis soulignent les contours des panneaux.
Musée des Arts décoratifs, Paris

Mobilier de salon : canapé, chaise et fauteuil, vers 1875.
Bois sculpté et doré, garniture en tapisserie d'Aubusson d'époque XVIIIe.
De style Louis XVI particulièrement épuré, ce mobilier est représentatif
de la plupart des salons bourgeois de la fin du siècle. La finesse du bois doré donne leur élégance à ces sièges :
le pied cannelé se prolonge par la fine torsade du montant d'accotoir et se termine en crosse ornée d'une rosace.
La tapisserie a servi de point de départ pour "reconstituer" l'ameublement complet qui avait
l'avantage de concilier confort, solidité et remploi de pièces anciennes valorisantes.
Musée des Arts décoratifs, Paris.

Salon Louis XVI.
in Planat. *Habitations particulières, 1ᵉʳᵉ série, Hôtels privés,* Paris, s.d.
Les pièces de réception étaient régies par des normes précises, généralement de style Louis XVI.
Ce salon est agencé avec une symétrie sans faille : de part et d'autre de l'embrasure
qui mène au vestibule, un canapé à trois places et un secrétaire à cylindre.
Bibliothèque des Arts décoratifs, Paris.

Boudoir fantaisie, vers 1890.
Rémon, *Intérieurs d'appartements modernes,* Paris, s.d. planche 25.
Dans ce boudoir, la référence au style Louis XVI est évidente. Mais l'originalité de cet ensemble
provient de l'alliance entre, d'une part, un répertoire décoratif typique du XVIIIe siècle :
guirlandes et chutes de fleurs, toilette juponnée, motifs d'éventail et d'arc au sommet des fenêtres, et, d'autre part,
une conception moderne de l'agencement : les teintes claires mais plus sourdes que la gamme
habituelle du XVIIIe siècle, et l'alignement des meubles le long des murs, caractéristique du tournant du siècle,
et qui empêche la présence d'éléments architecturaux néoclassiques tels que lambris, colonnes ou pilastres.
Bibliothèque des Arts décoratifs, Paris.

Travailleuse, vers 1878.
Charles-Guillaume Diehl. Noyer, marqueterie de divers bois, bronze teinté, soie, verre. Ce petit
meuble raffiné exprime bien les recherches des ébénistes à la fin du XIXe siècle. Les formes sont
originales, notamment les trois pieds, qui rappellent l'usage des bois courbés de Thonet, ainsi
que la corbeille polylobée. Les motifs de fleurs et de papillons en marqueterie traditionnelle, les
bronzes colorés de cigales et de coccinelles au sommet des pieds ou de tortues à leur base
appartiennent au nouveau répertoire naturaliste. *Musée de l'Ecole de Nancy, Nancy.*

Flora marina, Flora exotica, **Jardinière,** Exposition universelle de 1889. Ebénisterie d'Emile Gallé ; dessins des incrustations de Victor Prouvé. Poirier sculpté, incrustations de bois divers. Le titre que donne Emile Gallé à son œuvre est en soi tout un programme ; il évoque les aspects les plus mystérieux de la nature, représentés par deux jeunes filles entourées d'une végétation exotique ou marine. La référence au style rocaille, issu de formes naturelles exubérantes, a été retenue par Gallé pour servir de cadre à une riche recherche décorative : dauphins se confondant avec les pieds, nombreux coquillages, étoiles de mer, coquilles Saint-Jacques, algues, anguilles sculptés tout au long de la zone concave au-dessus du piétement. Gallé est ici l'héritier des artistes du XIXe siècle : la nature le fascine et apparaît comme une issue aux recherches décoratives de la fin du siècle. Son but est identique à celui de ses prédécesseurs : englober le monde entier et le faire entrer dans la demeure. Sa démarche, dont il nous dit qu'elle a été scientifiquement documentée, donne naissance à un meuble profondément baroque, dont on ne sait s'il clôt une époque ou s'il en ouvre une nouvelle. *Musée de l'Ecole de Nancy, Nancy.*

Les teintes sombres dominent partout ; le retour aux bois clairs ou aux incrustations de bois d'essences différentes va généralement de pair avec les recherches novatrices qui contribuent à l'émergence de l'Art Nouveau. Les formes des meubles, leurs usages n'évoluent guère depuis le Second Empire. Les fabricants élaborent peu à peu des solutions face à la complexité croissante du marché. Entre 1850 et 1889, ils ont su associer confort et fonctionnalité, joindre l'utile à l'agréable. Ils laissent des œuvres subtiles, encyclopédiques, associant une extraordinaire multiplicité d'ornements et de techniques. La production de série se distingue définitivement et massivement des œuvres de luxe, créant ainsi un nouveau marché.

L'Art Nouveau s'enracine dans ces tensions et ces débats et se veut une réponse à la recherche inquiète menée par les hommes du XIXe siècle.

BIBLIOGRAPHIE

ARIZZOLI-CLÉMENTEL Pierre,
"Un rare salon fin de siècle",
in L'Estampille l'Objet d'art,
septembre 1991, p. 84-94.

BASCOU Marc,
- "A newly re-discovered
credence by A. H. Sauvrezy
for the Paris Universal
Exhibition of 1867",
in Journal of Decorative Arts,
1992, n° 16, p. 44-49.
- Mobilier,
Ed. Fayard, Paris 1995
in Dictinnaire du Second Empire
(sous la direction de Jean Tulard).

VETOIS Isabelle et
BADETZ Yves,
"Un ameublement pour
le Palais-Royal. La maison
Fourdinois en 1860",
in Monuments historiques,
novembre-décembre 1993,
p. 30-35.

CATALOGUES DE MUSÉES

MUSÉE DES ARTS DÉCORATIFS
Cent chefs-d'œuvre, 1985.

CHÂTEAU DE COMPIÈGNE

**CHÂTEAU
DE FONTAINEBLEAU**

MUSÉE D'ORSAY

CATALOGUES D'EXPOSITIONS

**LE PARISIEN CHEZ LUI
AU XIXE SIÈCLE.**
Archives nationales.
Hôtel de Rohan, 1976-1977.
Paris.

LE SECOND EMPIRE.
Grand Palais, 1979.
Paris

COLLECTIONS PUBLIQUES

PARIS

MUSÉE DES ARTS DÉCORATIFS
107 Rue de Rivoli, 75001 Paris.

MUSÉE D'ORSAY.
*1 Rue de Bellechasse,
75007 Paris.*

ÎLE DE FRANCE

**MUSÉE NATIONAL DU
CHÂTEAU DE COMPIÈGNE.**
*Place du Général De Gaulle,
60200 Compiègne.*

**MUSÉE NATIONAL
DU CHÂTEAU
DE FONTAINEBLEAU.**
77300 Fontainebleau.

CHÂTEAU DE PIERREFONDS.
60350 Cuise la Motte.

RÉGIONS

MUSÉE DES ARTS DÉCORATIFS
30 Rue de la Charité, 69000 Lyon.

Pages de garde de fin
Papier peint, vers 1870-1880.
Manufacture Balin.
Impression à la planche, gaufrage.
Musée des Arts décoratifs, Paris.